Motiver ses élèves

Donner le goût d'apprendre

Animer sa classe

Collection dirigée par Antoine Roosen
avec la collaboration de Dominique Henaff, inspecteur de l'Éducation Nationale (IEN)

Covington Martin V., Teel Karen M., Vaincre l'échec scolaire. Changer les raisons d'apprendre

Marzano Robert J., Paynter Diane E., Lire et écrire. Nouvelles pistes pour les enseignants

McCombs Barbara L., Pope James E., Motiver ses élèves. Donner le goût d'apprendre

Paris Scott G., Ayres Linda R., Réfléchir et devenir. Apprendre en autonomie. Des outils pour l'enseignant et l'apprenant

Ridley Dale S., Walther Bill, Former des apprenants responsables. Pour un environnement positif en classe

Weinstein Claire E., Hume Laura M., Stratégies pour un apprentissage durable

Zimmerman Barry J., Bonner Sebastian, Kovach Robert, Des apprenants autonomes. Autorégulation des apprentissages

Barbara L. McCombs
James E. Pope

Motiver ses élèves

Donner le goût d'apprendre

Traduction
et adaptation
par Marianne
Aussanaire-Garcia

Animer sa classe

de boeck

Ouvrage original :
Motivating Hard to Reach Students by Barbara L. McCombs and James E. Pope

1re édition
4e tirage 2005

Imprimé en Belgique

Dépôt légal :
Bibliothèque Nationale, Paris : septembre 2000
Bibliothèque royale de Belgique, Bruxelles : 2000/0074/187

ISSN 1376-2256
ISBN 2-7445-0083-6

AVERTISSEMENT AU LECTEUR

L'ouvrage que vous tenez entre les mains s'inscrit dans une collection toute neuve : **Animer sa classe**.

Son ambition ? Rencontrer, au plus près, les attentes d'enseignants amenés à composer avec des exigences de jour en jour plus complexes.

Ses moyens ? Proposer des situations d'enseignement et d'apprentissage *authentiques*, vécues au sein de *vraies* classes ; analyser et mettre en perspective ces « études de cas » en s'inspirant des avancées les plus récentes de la recherche en psychopédagogie et, plus particulièrement, dans les domaines du cognitivisme et du socioconstructivisme.

Animer sa classe nous vient d'Outre-Atlantique. La démarche proposée nous paraît à la fois si originale et si actuelle que nous n'hésitons guère à la faire connaître au public francophone. Réflexion faite, nous avons même décidé de respecter assez fidèlement un contexte quelque peu différent du nôtre, confiants que nous sommes dans la créativité des enseignants : en bons professionnels, ils auront plaisir à imaginer eux-mêmes les adaptations légères qui s'imposent pour leurs classes. Et ils auront tôt fait de reconnaître la qualité exceptionnelle de publications qui associent de la façon la plus heureuse la riche expérience du pédagogue de terrain à la réflexion du spécialiste universitaire.

N'en doutons pas : ils s'accommoderont aussi de quelques redondances de style et de l'insistance avec laquelle nos collègues américains reviennent souvent sur les thèmes qu'ils développent. Appelons cela une écriture rhapsodique…

Chaque ouvrage s'ordonne selon une forme que l'on pourrait qualifier de canonique :

- études de cas ;
- identification de situations-problèmes ;
- synthèse de la recherche sur le sujet ;

- stratégies didactiques (le « comment faire ? ») ;
- sommaires de l'acquis et questions d'autocontrôle ;
- réponses à ces questions ;
- glossaire terminologique ;
- suggestions de lecture.

En bref, un arsenal didactique fonctionnel fondé sur des objectifs clairs, respectueux de finalités éducatives fondamentales :

- rendre les apprenants acteurs de leurs apprentissages ;
- assurer à la fois l'autonomie individuelle et la solidarité sociale.

Pourquoi tant d'élèves se montrent-ils si peu soucieux d'apprendre ? Affaire de motivation nous affirme-t-on généralement, sans autre précision.

Le mérite de Barbara Mc Combs et James E. Pope est de nous éclairer, dans cet ouvrage à la fois érudit et pragmatique, sur la vraie nature de la motivation et surtout sur les moyens de l'éveiller, de la « révéler » chez les élèves du primaire et du secondaire.

Fondé sur les recherches les plus récentes, illustré par de nombreuses études de cas, l'ouvrage nous invite à reconnaître que la motivation d'un élève repose essentiellement sur l'idée qu'il se fait de sa propre valeur et de sa capacité à acquérir certaines compétences. De là, les auteurs nous proposent cinq stratégies propres à aider les élèves à trouver en eux-mêmes de vraies raisons d'apprendre…

ANTOINE ROOSEN
Directeur de la collection

Tableau de correspondance des classes d'âge dans les systèmes scolaires francophones

Ordre d'enseignement	Âge	BELGIQUE	FRANCE	QUÉBEC	SUISSE
MATERNEL	avant 6 ans	(3-5 ans) Maternelle	(2-5 ans) Petite section (1re et 2e années – C1) moyenne section (3e année – C1) grande section de maternelle (Cycle 1 – 1re et 2e années – Cycle 2)	(4 ans) Pré-maternelle (5 ans) Maternelle	(4-5 ans) Maternelle
PRIMAIRE	6 ans	1re primaire	CP (cours préparatoire – 2e année – Cycle 2)	1re primaire (1er Cycle)	classe de 1re
	7 ans	2e primaire	CE1 (cours élémentaire 3e année – Cycle 2)	2e primaire (1er Cycle)	classe de 2e
	8 ans	3e primaire	CE2 (cours élémentaire 1re année – Cycle 3)	3e primaire (2e Cycle)	classe de 3e
	9 ans	4e primaire	CM1 (cours moyen 2e année – Cycle 3)	4e primaire (2e Cycle)	classe de 4e
	10 ans	5e primaire	CM2 (cours moyen 3e année – Cycle 3)	5e primaire (3e Cycle)	classe de 5e *
	11 ans	6e primaire		6e primaire (3e Cycle)	classe de 6e *
SECONDAIRE	11 ans		classe de 6e (Collège)		
	12 ans	1re secondaire	classe de 5e (Collège)	1re secondaire	classe de 7e *
	13 ans	2e secondaire	classe de 4e (Collège)	2e secondaire	classe de 8e
	14 ans	3e secondaire	classe de 3e (Collège)	3e secondaire	classe de 9e
	15 ans	4e secondaire	classe de 2e (Lycée)	4e secondaire	gymnase 1
	16 ans	5e secondaire	classe de 1re (Lycée)	5e secondaire	gymnase 2
	17 ans	6e secondaire	terminale (Lycée)	Cégep 1 **	gymnase 3
	18 ans			Cégep 2 **	gymnase 4

* Selon les cantons, le secondaire suisse commence en 7e ou en 6e, parfois dès la 5e.

** Le collège québécois (CEGEP : centre d'enseignement général ou professionnel) est un ordre spécifique, intermédiaire entre le secondaire et l'université.

AVANT-PROPOS

Enseignants du primaire et du secondaire, vous ne connaissez que trop bien, aujourd'hui, la frustration née de l'absence de toute possibilité de dialogue avec les élèves en échec qui détestent l'école et ont perdu toute motivation d'apprendre…

Cet ouvrage s'adresse à vous et nous souhaitons vous proposer des idées, des approches nouvelles propres à résoudre le problème des élèves non motivés. Nous pensons qu'une communication de nos connaissances en la matière, que des suggestions de stratégies pourraient s'avérer utiles à la fois pour vous et pour vos élèves.

Notre postulat de base est que tous les élèves ont la motivation d'apprendre si les conditions d'apprentissage sont bonnes et si vous parvenez à les créer en classe. Nous savons que vous y arriverez mieux avec le soutien et les encouragements de l'administration de l'établissement où vous enseignez, mais nous pensons aussi qu'il vous est malgré tout possible de faire beaucoup pour les élèves, même en l'absence de cette aide. Dans cet ouvrage, nous avons rassemblé un grand nombre d'activités et de stratégies pratiques que vous pourrez adapter à vos besoins et à ceux de vos élèves.

Nous savons que ces techniques « marchent » pour les avoir vu fonctionner; les possibilités qu'elles offrent nous confortent dans notre action et nous vous invitons à les explorer.

Enfin, ce livre voudrait être autre chose qu'un simple débat sur les méthodes permettant de remotiver les élèves en difficulté. Il s'agit plutôt d'un manuel pratique et interactif destiné à aider les enseignants à concevoir de nouvelles approches pour atteindre les élèves les plus démotivés. Nous souhaitons vous impliquer activement dans une vraie réflexion sur ce que les « insights » et les outils proposés signifient pour vous; nous vous encourageons à répondre attentivement aux questions qui concluent chaque chapitre. Nous vous invitons aussi très vivement à adapter tous les exercices susceptibles d'être mis à profit dans vos classes.

INTRODUCTION

- ÉTUDE D'UN CAS D'ÉLÈVE : NATACHA
- ÉTUDE D'UN CAS D'ÉLÈVE : KEVIN
- PRINCIPES ET OBJECTIFS

Au cours de votre carrière d'enseignant, vous avez certainement été confronté à des problèmes semblables à ceux que nous allons aborder dans les deux études de cas qui suivent. Notez de quelle manière vous appréhenderiez chaque situation en fonction de vos conceptions actuelles sur la meilleure façon de motiver les élèves. Ceci vous donnera une base pour comprendre la manière dont vos idées et vos stratégies pourraient changer à la lecture de cet ouvrage.

Étude d'un cas d'élève : Natacha

Natacha est en deuxième année de primaire dans une grande école de centre-ville. Avant d'entrer au cours préparatoire, elle avait hâte d'aller à l'école. Pourtant, cette première année n'avait pas répondu à ses attentes. Certains élèves de sa classe savaient déjà lire avant d'entrer au cours préparatoire et figuraient dans des groupes de lecture courante dès la fin de l'année. Les élèves qui se débrouillaient bien en lecture étaient dans le groupe de base, mais Natacha et quelques autres, éprouvant comme elle certaines difficultés à lire, étaient relégués dans le groupe faible. Maintenant en cours élémentaire, Natacha a accumulé des retards et déteste se trouver dans le groupe faible où on l'a mise. Ses difficultés en lecture lui font croire qu'elle est bête ; on se moque d'elle en classe. Mme Ford commence à s'impatienter, déçue de voir Natacha de plus en plus maussade. En conséquence, Natacha se ferme et refuse de coopérer. L'enseignante a contacté la mère de Natacha pour essayer de mettre en place des cours de soutien en lecture. Malgré son désir de faire quelque chose, cette maman semble dépassée par les événements ; elle doit compter avec cinq autres enfants, un conjoint absent et des ressources financières extrêmement limitées. La maîtresse de Natacha ne sait plus que faire. Elle sait que Natacha pourrait apprendre à lire et à se débrouiller si elle bénéficiait d'un regain de motivation et d'une aide adaptée.

ACTIVITÉS AUTODIRIGÉES

Question :

Que feriez-vous à la place de la maîtresse de Natacha ?

ÉTUDE D'UN CAS D'ÉLÈVE : KEVIN

Kevin est en quatrième dans un petit collège de ville. Il est arrivé au collège en octobre puis l'a quitté avant décembre, pour finalement demander à se réinscrire au mois de février. Il ne vient en classe que de façon sporadique, généralement deux ou trois jours par semaine. Ses professeurs sont très insatisfaits. Bien que Kevin semble très intelligent et qu'il obtienne des notes au-dessus de la moyenne sur une bonne partie des tests et des projets, son manque d'assiduité et son incapacité à terminer la plupart des travaux ne lui permettent pas de dépasser une moyenne de 5/20. Il a manqué beaucoup de cours, suite à de nombreux signalements et exclusions temporaires pour mauvaise conduite. Kevin ne s'intéresse guère à autre chose qu'au rock « heavy metal ». Sa capacité à retenir le nom des musiciens de tous ces groupes de rock fait l'admiration de ses professeurs. La façon dont il s'habille et son comportement trahissent sa passion et détonnent dans cette école où peu d'élèves partagent les mêmes intérêts. En conséquence, il s'est fait très peu d'amis et reste seul la plupart du temps. Toutes les démarches pour contacter sa famille sont demeurées infructueuses. Il semblerait que Kevin ait été temporairement confié à un oncle qui habite dans le quartier. Celui-ci reconnaît avoir du mal à contrôler ce que fait Kevin et avoue que le jeune garçon ne rentre pas tous les soirs, loin de là. Les enseignants savent que Kevin a un grand potentiel mais déplorent aussi bien son attitude que son manque d'assiduité.

ACTIVITÉS AUTODIRIGÉES

Question :

Que feriez-vous à la place des professeurs de Kevin ?

Bien que les élèves dont nous venons de parler soient très différents, ils ont un problème commun. Ils se sont laissés gagner par une attitude négative envers eux-mêmes et envers l'école et ils ont fini par perdre toute motivation d'apprendre.

Malheureusement, on rencontre de nos jours et de plus en plus souvent ce type d'élèves, au primaire comme au secondaire, voire même au-delà. Confrontés chaque année davantage à ce problème et aux phénomènes qui s'y rattachent (dégoût de soi et crainte d'être puni, délinquance, drogue...), les enseignants éprouvent mille difficultés à motiver ces élèves en perdition, à les encourager à se forger une meilleure image d'eux-mêmes et de leur apprentissage. En outre, ils se sentent souvent démunis face aux problèmes complexes que les élèves apportent avec eux dans leurs classes.

L'objectif de ce livre est donc de vous proposer des principes et des méthodes pratiques pour stimuler et remotiver les élèves qui ont perdu toute relation avec leur désir naturel d'apprendre. Ces idées et ces stratégies sont aussi destinées à élargir vos possibilités et votre confiance en vos élèves, en vous aidant à comprendre les mécanismes de la motivation et les façons dont on peut la réveiller, même chez les plus récalcitrants, du primaire au secondaire.

Les exemples proposés illustrent les types d'activités adaptables à des groupes d'âges différents de niveau égal. Il ne s'agit nullement d'une succession de recettes de cuisine qu'il faudrait suivre à la lettre sans tenir compte du contexte. Il s'agit plutôt d'idées en forme de point de départ ; nous savons que l'approche « livre de recettes » est moins efficace que celle qui met l'accent sur le respect sincère des élèves et la compréhension de leur potentiel naturel et de leur motivation d'apprendre. De plus, des séries de « recettes » ne sauraient faire face à la diversité des cas et des situations hors-normes que nous rencontrons parfois en classe. Nous vous encourageons donc à libérer votre créativité tout en vous inspirant des activités et principes proposés dans ce livre.

Cet ouvrage s'adresse à tous les enseignants qui souhaitent entreprendre une recherche personnelle ainsi qu'aux étudiants en sciences de l'éducation. Il sera également utile en stage de formation continue. Le texte s'accompagne de questions autodirigées et d'un espace suffisant pour y répondre ; les activités autodirigées vous aideront à concevoir celles que vous voudrez mettre en place personnellement.

Le livre débute par un survol rapide des recherches et théories actuelles sur la motivation. Dans ce premier chapitre, nous avons résumé ce que nous considérons comme les découvertes les plus importantes en la matière ; il se termine par une bibliographie sélective des auteurs mentionnés à l'intention de ceux d'entre vous qui souhaitent approfondir leur information sur les théories de la motivation. L'ouvrage se poursuit par un examen des implications que ces idées actuelles peuvent avoir sur votre rôle d'enseignant ; la bibliographie est davantage orientée sur la pratique. Le chapitre suivant aborde les stratégies spécifiques actuelles et les activités que vous pouvez utiliser pour développer la motivation des élèves et instaurer dans votre classe un climat qui autorise des changements positifs.

Avant d'entrer dans le vif du sujet, voici ce que ce nous espérons vous voir apprendre grâce à ce livre.

Principes et objectifs

Principes de base

La compréhension de ce qui motive les élèves de même que la manière dont on peut entretenir et développer la motivation contribuent à rendre votre métier d'enseignant plus enrichissant. Une compréhension approfondie peut également vous aider à contribuer de manière plus efficace au développement personnel de vos élèves et vous permettre ainsi de réduire l'échec scolaire qui engendre toujours regret et dévalorisation de soi.

Objectifs pour les lecteurs de cet ouvrage

1. Vous aider à comprendre la nature de la motivation et la manière dont on peut la développer.

2. Vous aider à comprendre l'influence que la nature même de la motivation peut avoir sur votre rôle d'enseignant.

3. Vous proposer des stratégies pour aider individuellement vos élèves à exploiter leur motivation naturelle d'apprendre.

4. Vous proposer des stratégies qui permettent d'établir en classe un climat propice au développement et au soutien de la motivation des élèves.

OBJECTIF

1

COMPRENDRE LA NATURE DE LA MOTIVATION

- LES THÉORIES ACTUELLES SUR LA MOTIVATION
- QUELLES SONT LES IMPLICATIONS DE CES RECHERCHES SUR LES PRINCIPES D'UNE PRATIQUE EFFICACE ?
- LES MÉTHODES QUI MARCHENT
- EN RÉSUMÉ
- BIBLIOGRAPHIE

Les enseignants reconnaissent l'importance de la motivation dans l'apprentissage et souhaitent naturellement se trouver devant des élèves motivés. Au fil du temps, ils ont dû recourir à diverses approches pour motiver des élèves en difficulté comme Natacha et Kevin que nous venons de rencontrer. Cependant, rares sont les enseignants qui bénéficient d'une formation sur l'art de motiver les élèves. Et lorsque cette formation leur est dispensée, elle met généralement l'accent sur des techniques qui négligent trop souvent la masse imposante de recherches dans le domaine et les nouvelles approches passionnantes qu'elles ont inspirées.

Aussi les enseignants ont-ils dû compter sur leur bon sens et adopter des pratiques reposant sur leur expérience professionnelle, des échanges entre collègues, leur intuition, et des lectures personnelles.

La grande frustration que beaucoup d'entre eux ressentent lorsqu'ils essaient de motiver des élèves réticents vient des conditions dans lesquelles ils exercent : manque de temps, nombre croissant d'élèves en difficulté d'apprentissage ou ayant des problèmes psychologiques, obligation de résultats, pressions exercées par l'administration et les parents, ou toute autre situation génératrice de stress que la vie dans la plupart de nos écoles impose. Le piètre recours à l'intuition ou à des techniques dépassées ne permet guère de résoudre une situation difficile, particulièrement lorsqu'on est dans le feu de l'action. Comme lorsque nous élevons un enfant, c'est précisément quand il faudrait appliquer telle ou telle technique particulière pour lui faire admettre une discipline positive ou seulement capter son attention, que le temps nous manque et que notre propre stress nous empêche de nous souvenir de ce qu'il conviendrait de faire à ce moment-là. Dans le contexte de l'enseignement, cette difficulté se solde le plus souvent par la tentative de maintenir le calme et l'ordre dans la classe ; stimuler la motivation des élèves à apprendre est relégué au second rang des préoccupations.

Quand on y réfléchit bien, tout ce qu'on fait en classe a une influence motivationnelle sur les élèves : la façon dont on présente les contenus, les types d'exercices qu'on utilise, la façon dont on échange avec les élèves, les occasions qu'on leur donne de travailler seuls ou en groupes. Les élèves réagissent à ce que nous faisons, à ce que nous sommes, et au degré de confort psychologique que nous instaurons en classe. Malgré l'énorme influence motivationnelle qu'ils exercent, les enseignants sont, en fait, peu armés pour comprendre la motivation et les façons de la développer chez leurs élèves.

Nous avons découvert que les enseignants trouvent utile de savoir ce que les recherches sur la motivation ont apporté : nature de la motivation d'apprendre, manières de la développer et de la soutenir.

Aussi nous proposons-nous de consacrer ce chapitre à une revue concise des travaux de recherche effectués jusqu'à ce jour sur la motivation vue sous l'angle qui nous intéresse. Munis de ces informations, vous pourrez juger si les théories et stratégies suggérées peuvent être utiles à vos projets. Nous voudrions ainsi vous donner l'occasion de faire le point, et de vous informer sur la nature de la motivation d'apprendre. Nous vous invitons en cours de lecture à repenser aux cas de Natacha et de Kevin, à réfléchir aux méthodes que vous employez actuellement pour motiver vos élèves et aux implications que les perspectives présentées ici peuvent avoir sur de nouvelles approches et de nouvelles stratégies.

Les théories actuelles sur la motivation

Les psychologues ont proposé un grand nombre de théories différentes sur la motivation. Il y a plus d'un siècle, Freud avançait l'idée que les êtres humains naissent avec certaines pulsions biologiques ou instincts qui les motivent à se comporter de certaines manières. Dans cette perspective, le métier d'éducateur consistait alors à aider les élèves à contrôler et diriger ces pulsions. Un peu plus tard, **les behavioristes** comme B. F. Skinner avancèrent l'idée que les individus naissent avec une « page vierge » sur laquelle les expériences de la vie et les événements extérieurs viennent petit à petit s'inscrire, conditionnant ainsi certains comportements. Selon la théorie behavioriste, on pourrait contrôler la motivation et l'apprentissage des élèves en gérant leur comportement grâce à des récompenses externes et à des incitants* tels que les bons points, les prix ou même les notes. Les psychologues humanistes comme Abraham Maslow et Carl Rogers pensent, eux, que les individus viennent à la vie avec une tendance naturelle à progresser et à se remettre à jour constamment, mais que l'apprentissage, le développement naturel, le contact avec d'autres individus significatifs et la confrontation à des événements non moins significatifs, facilitent nettement ce processus.

Au cours des trente dernières années, des perspectives cognitivistes, sociocognitives et sociobehavioristes sont apparues qui étendent et affinent ces théories initiales. **La perspective cognitiviste** est centrée sur l'étude des processus mentaux et souligne le rôle capital que joue la perception dans l'apprentissage et la mémorisation. Elle

* N. d. T : Nous avons traduit par *incitant* le terme polysémique « incentive ».

insiste aussi sur l'importance du rôle actif de l'élève et sur la nécessité d'accepter l'idée que toute connaissance est avant tout personnelle, née d'un système de références et d'intégration des connaissances propre à chaque individu.

Néanmoins, pour la majorité des théories cognitivistes actuelles, l'essentiel est la façon dont l'esprit structure et organise le vécu. Dans cette optique, la motivation repose sur les convictions que l'individu acquiert de sa propre valeur, de ses capacités ou de ses compétences (ex: image qu'il se forge de lui en tant qu'élève); ses objectifs et les chances de réussite ou d'échec qu'il anticipe; des sentiments positifs ou négatifs (ex: curiosité, anxiété) qui résultent des processus d'auto-évaluation auxquels il se livre. Les travaux de recherche d'Albert Bandura, Marty Covington, Carol Dweck, Jackie Eccles, Susan Harter, Hazel Markus, Bernie Weiner, entre autres, nous ont aidés à comprendre que les convictions que chacun acquiert à propos de lui-même, de ses objectifs, de ses attentes et de ses sentiments, influencent motivation et performances.

Un autre ensemble de théories issues d'une **perspective sociocognitive ou sociobehavioriste** souligne l'importance des facteurs externes dans la motivation d'apprendre, comme le soutien social et psychologique des proches (ex: l'affection ou l'attention sincère, le respect et les encouragements), les récompenses externes et les incitants liés à l'environnement (ex: la reconnaissance des autres pour ce que l'on fait). La complexité même du phénomène de la motivation entraîne des divergences d'opinions à propos de l'importance relative des facteurs de motivation internes (convictions) et externes (récompenses) et un certain nombre de théories intrinsèques (internes) s'opposent aux théories extrinsèques (externes) qui ont été avancées. Malgré ces désaccords, nous commençons à voir apparaître un consensus et une intégration des ces théories contradictoires dans plusieurs domaines importants. Un tel consensus devrait contribuer à définir la nature de la motivation et découvrir les meilleurs moyens de la développer au cours de l'apprentissage. Pour donner un exemple, les travaux de Margaret Clifford, Ed Deci, John Nicholls et d'autres sur la motivation intrinsèque ou interne, nous ont permis de comprendre que les individus ont une tendance naturelle à être intrinsèquement motivés quand ils se concentrent sur des objectifs d'apprentissage personnels. Les recherches démontrent également que les individus sont naturellement motivés pour apprendre quand ils ne craignent pas l'échec, quand ce qu'ils apprennent a un sens et une résonance personnelle pour eux, quand ils vivent une relation épanouissante avec leurs professeurs et se sentent soutenus et respectés.

Facteurs internes et externes jouent tous deux un rôle important dans la définition de la nature de la motivation et dans la découverte des meilleurs moyens de la développer.

De plus, les travaux de James Connell, Richard Ryan et quelques autres, ont démontré combien il est important d'encourager les besoins d'autonomie et d'autodétermination des élèves. En d'autres termes, leurs recherches montrent que la motivation d'apprendre des élèves est plus forte quand les enseignants leur donnent l'occasion de prendre des décisions et d'exercer un contrôle sur leur processus d'apprentissage.

Les théories récentes sur la motivation commencent également à mettre l'accent sur des processus de plus haut niveau (comme la *métacognition* ou capacité de réfléchir à ce qu'on pense) et sur la façon dont on peut faire appel à des niveaux plus aigus de conscience ou de conscience de soi, dans le but de contrôler la pensée. Quand les individus découvrent qu'ils peuvent opérer en dehors du système cognitif ou du système de convictions qu'ils ont acquis, ils ressentent un profond sentiment de contrôle personnel. Ces recherches sont essentiellement centrées sur la compréhension de soi comme agent. Lors de nos propres recherches aux côtés des élèves et des enseignants, nous avons découvert que la connaissance de soi et les images de soi que l'on acquiert (comme, par exemple, l'autoconcept « Je ne suis pas bon en maths ») n'auront d'influence primordiale sur la motivation et le comportement que si les individus ne sont pas conscients qu'ils ont le choix d'interpréter l'influence ou le contrôle que ces pensées et convictions exercent sur leurs sentiments et leur comportement. Les psychologues Rick Suarez, Roger Mills et Darlene Stewart défendent l'idée que si les individus ne se reconnaissent pas le choix d'utiliser leur système de pensée de manière sélective, ils opèrent inconsciemment dans les limites que celui-ci leur impose ; c'est-à-dire qu'ils sont contrôlés par leurs convictions et leurs pensées au lieu qu'ils les contrôlent. Quand on leur apprend à comprendre et à contrôler le fonctionnement de leur pensée, ils parviennent à se dégager de l'influence des convictions négatives qu'ils ont à propos de leurs capacités ou de leur crainte d'échouer. Il en résulte qu'ils peuvent ainsi accéder à des processus de niveau supérieur comme l'insight, la créativité, la sagesse et le bon sens. Ils peuvent alors opérer hors du système cognitif et voir au-delà du conditionnement et des restrictions imposées par leur système de convictions et leur cadre personnel de références.

En résumé, on assiste à l'émergence d'une nouvelle perspective à l'égard de la motivation selon laquelle les élèves sont reconnus capables de comprendre les relations qui existent entre leurs convictions, leurs sentiments et leur motivation. À des niveaux supérieurs de compréhension ou de conscience, les élèves peuvent découvrir qu'ils ont un contrôle personnel (*contrôle actif*) sur le contenu et le fonctionnement de leur pensée, qu'ils peuvent comprendre le rôle même de la pensée et se motiver eux-mêmes. Le psychologue Rick Suarez soutient que c'est la fonction de la pensée davantage que son contenu qui fournit un niveau de gestion primaire (convictions, valeurs, attentes et objectifs). La pensée est la cause directe de toutes les convictions; elle peut être contrôlée consciemment et volontairement. Le fait que penser soit un acte tellement habituel nous fait oublier que nous pensons. Bien souvent, nous ne percevons pas le rôle actif que nous jouons dans la construction de nos propres réalités et de nos systèmes de convictions personnels. Développer chez les individus la conscience qu'ils sont à tout moment engagés dans un processus actif de construction de pensées, de convictions ou d'attitudes, constitue la première démarche pour les aider à percevoir le contrôle qu'ils exercent sur la création de leurs réalités personnelles. Roger Mills affirme que si les individus parviennent à concevoir la pensée comme une fonction, le fait d'exercer un contrôle volontaire sur leurs pensées, leurs émotions, leur motivation et leur comportement, décuple considérablement leur potentiel.

Les individus n'ont pas toujours conscience du rôle qu'ils jouent dans la construction de réalités personnelles.

Par ailleurs, ces points de vue récents sur la motivation nous aident à comprendre que le contenu de la pensée (ex: convictions et objectifs) n'engendre de motivation que dans la mesure où les individus ne sont pas conscients de leur rôle comme agent dans l'élaboration et la gestion de leurs pensées, c'est-à-dire dans le choix du degré d'influence que les convictions spécifiques auront dans une situation donnée. À des niveaux plus pointus de compréhension, on voit les individus parvenir à ne plus tenir compte de l'influence de leurs convictions grâce à une pensée désormais sélective.

Le fait de comprendre la fonction de la pensée aide les individus à contrôler volontairement leurs pensées, leurs émotions, leur motivation et leur comportement.

De plus, d'après Ed Deci et Richard Ryan, le contrôle actif est une tendance inhérente du moi à générer du comportement, à se rattacher à des événements, à les intégrer et à acquérir un sentiment de contrôle et de compétence personnel ; la perception de soi comme agent donne alors naissance à des actes et est à la source de toute autodétermination. Au coeur du moi, pense-t-on, réside une composante énergisante qui joue un rôle d'activateur et que l'on appelle motivation *interne* ou motivation de développement. On peut dire que le véritable moi d'un individu fonctionne lorsque ses actes sont sanctionnés par lui-même avec intégrité et avec le sentiment qu'il est lui-même le siège d'un développement actif. Ainsi, la perspective adoptée par ces chercheurs nous fait voir la motivation comme une capacité naturelle et une tendance propre à chacun d'apprendre et de progresser de manière positive. Puisque la motivation est inhérente, on doit la révéler plutôt que chercher à prouver son existence.

La motivation est une capacité naturelle, inhérente, d'apprendre de façon positive ; il est préférable qu'elle soit révélée plutôt qu'instaurée.

QUELLES SONT LES IMPLICATIONS DE CES RECHERCHES SUR LES PRINCIPES D'UNE PRATIQUE EFFICACE ?

Les recherches de la section précédente impliquent une chose : pour que les élèves puissent faire appel à leur motivation inhérente d'apprendre, ils doivent comprendre les manières dont leur pensée peut influencer leurs émotions et leur comportement. Ils doivent comprendre le concept du moi comme agent et tout ce que cela signifie. Par exemple, si un élève a des convictions négatives (ex : « Je ne suis pas capable de réussir en maths »), il réussira à ne pas en tenir compte s'il intègre la notion suivante : « Je peux contrôler mes pensées, et donc les émotions qui les alimentent. Même si je perçois que certains antécédents ou facteurs de compétence peuvent compromettre ma réussite, je reconnais que c'est le fait de penser à ces facteurs qui met en danger mes impressions positives et ma motivation d'apprendre. Aussi puis-je choisir de recentrer mes pensées, d'adopter une autre perspective et de travailler à vaincre ces obstacles en m'appliquant et en m'entraînant à développer des stratégies qui pourront compenser ces influences négatives. »

Aider les élèves à faire ces choix qui mènent à des pensées, des sentiments et une motivation plus lucides, exige davantage qu'un entraînement spécifique et une refonte des programmes. Il paraît essentiel que les élèves baignent dans un environnement scolaire qui leur garantisse un climat de bienveillance et de soutien moral authentique, entretenu par leurs enseignants, leurs camarades et les autres acteurs du système.

Cet environnement doit inclure des pratiques pédagogiques (ex : cours de formation à la gestion mentale, groupes d'apprentissage coopératif, ou toute autre approche favorisant l'indépendance de la réflexion et la résolution de problèmes) qui donnent aux élèves une véritable expérience dans l'art d'utiliser leur intelligence et la manière de prendre le contrôle personnel de leurs processus mentaux. Lorsqu'un soutien pédagogique individualisé permet d'aider les élèves à comprendre comment fonctionne leur esprit et à contrôler eux-mêmes leurs processus mentaux, il devient alors possible de provoquer leurs capacités naturelles à atteindre un niveau de réflexion supérieur et jouir d'une motivation accrue. L'autorégulation peut ainsi se transformer en un cycle d'autoconfirmation, et on verra alors une spirale positive de compréhension et de fonctionnement de niveau supérieur se mettre en place.

Un potentiel de fonctionnement positif existe chez tous les élèves, qu'ils soient ou non en difficulté.

Certains de nos travaux récents sur les interventions motivationnelles auprès d'élèves à haut risque nous ont permis d'aboutir à un Modèle d'Accroissement de la Confiance Réciproque*. Ce modèle explique les principes de la motivation qui opèrent pour tous les individus dans le cadre d'un système éducatif. Il s'appuie sur les

* Voir McCombs, B. L., & Marzano, R. J. (1990). Putting the self in self-regulated learning. The self as agent in integrating will and skill. *Educational Psychologist*, 25 (1), 51-69.

travaux de Roger Mills et Richard Ryan et s'appuie sur l'hypothèse qu'en chaque individu, qu'il soit ou non en difficulté, réside un noyau d'équilibre mental, c'est-à-dire un potentiel de fonctionnement positif qui comprend une estime de soi naturelle et la motivation innée d'apprendre. Leurs recherches ont montré que lorsque les jeunes vivent dans un cadre relationnel positif et qu'on leur fait découvrir les processus mentaux auxquels ils obéissent, leur désir d'apprendre se manifeste très clairement. Ainsi, le modèle de ces chercheurs est-il axé sur le développement de l'équilibre mental, de la motivation et du potentiel qu'ont les jeunes, et s'attaque-t-il à décupler la volonté, le savoir-faire et le soutien social.

Les programmes les plus performants développent les relations interpersonnelles qui établissent un climat optimal pour apprendre.

Dans ce Modèle d'Accroissement de la Confiance Réciproque, *la volonté* est définie comme un état de motivation inné ou auto-actualisé, un état de bien-être interne où les individus ne se départissent pas de leur estime d'eux-mêmes, de leur bon sens et de leur motivation intrinsèque d'apprendre. *Le savoir-faire* se définit comme une compétence cognitive ou métacognitive acquise (comme de devenir plus conscient du contrôle que l'on exerce sur sa pensée) qui se développe avec l'entraînement et la pratique.

Par *soutien social*, on entend le contexte interpersonnel qui autorise le décuplement de la volonté et le développement de ce qui constitue le savoir-faire, notamment grâce à des relations et des interactions de qualité avec les autres.

Développer des systèmes de convictions positifs chez les élèves et les enseignants est un processus réciproque.

Le terme *réciproque* est utilisé dans ce modèle pour signifier que les élèves ne peuvent être confortés dans leur confiance en eux (c'est-à-dire se sentir compétents et maîtres d'eux-mêmes) que s'ils bénéficient de relations positives avec un entourage qui leur procure un soutien positif. Pour que les parents, les enseignants et les autres personnes qui comptent dans la vie des élèves puissent assurer ces expériences positives d'enseignement et d'apprentissage dans un climat de respect et de sécurité affective, ils doivent eux-mêmes se sentir compétents et maîtres d'eux-mêmes. Ainsi, les enseignants ont besoin du respect et du soutien de leurs supérieurs hiérarchiques pour pouvoir exprimer la créativité et conférer la flexibilité nécessaires à un travail qui doit avoir un sens pour les élèves. On s'aperçoit ainsi que les principes communs d'accroissement de la confiance fonctionnent réciproquement pour tous les partenaires du système.

Les méthodes qui marchent

Dans leurs bilans séparés des interventions préventives menées par le National Institute of Drug Abuse (NIDA) et le Department of Education contre l'usage des drogues et l'abandon des études, les psychologues Roger Mills et Nancy Pack (assistés d'Annmarie Law et Roger Mills) se sont aperçus que les éléments du programme qui avaient clairement contribué à la réussite de celui-ci étaient relativement simples et directs. Le point commun à tous ces programmes était la qualité des relations qui s'étaient établies entre les jeunes et les adultes. Des relations positives étaient nées d'un intérêt et d'un souci réels pour les élèves et d'une perception exacte du climat le plus favorable à l'apprentissage. Ainsi, il apparaissait que l'intervenant lui-même et l'approche de l'intervenant comptaient davantage que le contenu transmis.

Les programmes efficaces sont basés sur la qualité des relations entre adultes et adolescents.

Comme le remarquent Nancy Peck et sa collègue, toutes les recherches s'accordent pour souligner que les jeunes gens à risque souffrent d'autoconcepts beaucoup plus négatifs que les autres, d'une insécurité plus grande quant à leurs capacités à s'intégrer à l'école, et de perceptions subjectives plus fortes qui les convainquent que l'école n'est pas faite pour eux. C'est au corps enseignant, plus qu'à tout autre, qu'il appartient de s'engager et surtout de se montrer optimiste quant aux chances d'atteindre ce type d'élèves. C'est lui qui pourra contourner ce fond d'insécurité, d'anxiété et de références négatives, pour atteindre les élèves à un niveau plus profond d'équilibre mental, de motivation et de bon sens.

Trop de programmes qui s'adressent aux jeunes à risques n'ont pas l'impact voulu car ils partent du principe qu'il y a quelque chose de cassé ou de manquant chez ces jeunes gens. Roger Mills et quelques autres remettent en question cette hypothèse qui, inconsciemment, sert à étayer l'idée que les jeunes ont un état d'esprit négatif. Un état d'esprit consiste en un ensemble de convictions et d'attitudes que les individus ont vis-à-vis d'eux-mêmes et au travers desquelles ils perçoivent et interprètent les expériences qu'ils vivent. Un état d'esprit négatif empêche les jeunes gens d'atteindre des niveaux de fonctionnement plus sains, que l'on peut faire naître de l'intérieur et cultiver. Les travaux de Mills démontrent que des façons négatives d'agir et de réagir découlent d'une pensée et d'un sentiment d'insécurité acquis, de nature à masquer le bon sens naturel, la capacité d'apprendre grâce aux insights et au sentiment de bien-être. Beaucoup de ces adolescents réticents sont issus de familles ou de cultures « polluées » où ils se sont forgé des systèmes de convictions peu fiables. Si l'on ajoute à cela une expérience de la vie scolaire et communautaire négative, on arrive à un sentiment croissant d'aliénation et d'isolement par rapport aux autres et par rapport à un style de vie normal ou socialement admis. La majorité des jeunes à risque sont chroniquement déprimés et voient les choses essentiellement sous un angle négatif. Cette association de perceptions, sentiments et comportements inquiets ou anxieux conduit inévitablement à des problèmes d'échec scolaire, de regret et de découragement, voire de délinquance.

Les convictions, sentiments et comportements liés à l'inquiétude étouffent la motivation naturelle mais on peut y remédier grâce à un climat relationnel de qualité.

En résumé

Après ce bilan des théories actuelles sur la motivation, nous savons comment elles ont évolué au cours des dernières années. Les théories contemporaines s'intéressent à la façon dont les individus se perçoivent eux-mêmes et perçoivent leurs capacités à apprendre plutôt qu'à leurs comportements. En outre, ces théories soulignent que la motivation d'apprendre est une capacité naturelle présente chez tous les élèves, pourvu qu'ils se trouvent dans un état d'esprit positif et bénéficient d'un climat d'apprentissage qui les soutienne dans leurs efforts. Même les élèves qui donnent l'impression d'avoir perdu toute motivation d'apprendre peuvent retrouver cette capacité naturelle et se développer de manière positive.

Le défi pour vous, en tant qu'enseignant, consiste à atteindre, toucher, ces élèves peu motivés. Il vous faut trouver des moyens de dépasser les pensées, sentiments et comportements négatifs pour réveiller leur équilibre mental et leur motivation interne. Il vous faut aider les élèves à constater en eux l'existence de cet équilibre mental et retrouver leur motivation innée d'apprendre. Le reste de cet ouvrage porte essentiellement sur les moyens de parvenir à ce résultat.

À la fin de l'objectif n° 1, vous trouverez une bibliographie sélective qui vous aidera à mieux comprendre la nature même de la motivation.

Une bibliographie en langue française figure à la fin de l'ouvrage.

ACTIVITÉS AUTODIRIGÉES

Question 1

Maintenant que vous avez une idée des recherches sur la motivation, quels sont les principes généraux qui, à votre avis, régissent toute entreprise de remotivation d'élèves ?

Question 2

Décrivez comment ces principes renforcent ce que vous savez déjà sur la tâche d'enseigner à des élèves difficiles à motiver.

Question 3

Les principes décrits ici ont-ils changé votre conception des facteurs qui motivent les élèves difficiles ? Si oui, de quelle manière ?

Question 4

Votre compréhension de ces concepts a-t-elle changé vos réactions face aux cas de Natacha et Kevin ? De quelle manière ?

Question 5

Décrivez un des élèves difficiles à motiver que vous avez eu par le passé. Qu'est-ce qui caractérisait son comportement ? Comment ces caractéristiques influaient-elles sur son travail scolaire ? Les concepts évoqués jusqu'ici ont-ils changé votre optique sur la façon dont vous aborderiez aujourd'hui le travail avec cet élève ? Si oui, de quelle manière ?

RÉPONSES AUX QUESTIONS

1

Voici quelques principes généraux applicables à la remotivation des élèves difficiles et auxquels vous avez peut-être pensé :

a) La motivation d'un individu s'appuie sur les convictions que cette personne a acquises auparavant sur la valeur et les capacités qu'elle se reconnaît. Un individu s'attend à réussir ou à échouer et se forge des sentiments positifs ou négatifs en fonction des convictions qu'il a acquises.
b) Les facteurs internes et externes jouent tous deux un rôle important dans la détermination de la nature de la motivation des élèves.
c) Une fois parvenus à un niveau de réflexion supérieur, les élèves sont capables de comprendre la relation qui existe entre leur système de convictions et leur tendance naturelle à se motiver eux-mêmes.
d) Les individus n'ont pas toujours conscience du rôle qu'ils jouent eux-mêmes dans la construction de leurs réalités.
e) C'est parce que la motivation est inhérente (c'est-à-dire composante du noyau d'équilibre mental positif propre à chacun) qu'elle doit être révélée et non instaurée.

2

Bien que nous ignorions le niveau actuel de vos connaissances en la matière, nous savons que la plupart des enseignants comprennent généralement le rôle que jouent leurs attentes dans les performances des élèves. L'idée que tous les élèves, difficiles à motiver ou non, ont une motivation naturelle d'apprendre est aussi communément acceptée. Ce qui peut sembler nouveau, c'est le principe que le noyau de l'équilibre mental peut être facilement atteint par le professeur si celui-ci saisit bien la nature de la motivation et possède les qualités requises pour fournir à l'élève un climat d'apprentissage positif et bienveillant.

3

Les réponses pourront varier.

4

Les réponses pourront varier ; néanmoins, on devrait trouver ici une indication que toute tentative efficace pour remotiver Natacha et Kevin devrait souligner la nécessité de voir s'instaurer une relation de qualité entre les élèves et l'enseignant. La perspective mise à jour dans les recherches présentées plus haut suggère que si un climat d'apprentissage positif et optimal s'installe, la tendance naturelle de l'élève à se motiver lui-même sera réveillée.

5

Ici encore, les réponses pourront varier.

Bibliographie

Bandura, A. (1989). Human agency in social cognitive theory. *American Psychologist,* 44 (9), *1175-1184.*

Bandura, A. (1991). Self-regulation of motivation through anticipatory and self-reactive mechanisms. In R. Dienstbier (Ed.), *Nebraska symposium on motivation : Vol. 38. Perspectives on motivation* (Vol. 38, pp. 69-164). Lincoln : University of Nebraska Press.

Clifford, M. M. (1984). Thoughts on a theory of constructive failure. *Educational Psychologist,* 19 (2), 108-120.

Connell, J. & Wellborn, J. G. (1991). Competence autonomy, and relatedness : A motivational analysis of self-system processes. In M. Gunnar & L. A. Sroufe (Eds.), *Minnesota symposium on child psychology* 23, pp. 43-77). Hillsdale, NJ : Erlbaum.

Covington, M. V *(1985).* The motive for self-worth. In C. Ames & R. Ames (Eds.), *Research on motivation education : The classroom milieu* (pp. 77-113). Diego, CA : Academic Press.

Deci, E. L. (1980). *The psychology of self-determination.* Lexington, MA : Heath.

Deci, E. L. & Ryan, R. M. *(1985). Intrinsic motivation and self-determination in human behavior.* New York : Plenum Press.

Deci, E. L. & Ryan, R. M. (1991). A motivational approach to self : Integration in personality. In R. Dienstbier (Ed.), *Nebraska symposium on motivation : Vol. 38.* Perspectives on motivation (pp. 237-288). Lincoln : University of Nebraska Press.

Dweck, C. S. (1986). Motivational processes affecting learning. *American Psychologist,* 41, 1040-1048.

Dweck, C. S. (1991). Self-theories and goals : Their role in motivation, personality, and development. In R. Dienstbier (Ed.), *Nebraska symposium on motivation : Vol. 38.* Perspectives on motivation. Lincoln : University of Nebraska Press.

Dweck, C. S., & Leggett, E. L. (1988). A social cognitive approach to motivation and personality. *Psychological Review, 95, 256-273.*

Eccles, J. (1983). Expectancies, values, and academic behaviors. In Spence (Ed.), *Achievement and achievement motives : Psychological and sociological approaches* (pp. 75-146). San Francisco : Freeman.

Harter, S. (1986). Processes underlying self-concept formation in children. In J. H. Suls & A. Greenwald (Eds.), *Psychological perspectives on the self* (Vol. 3, 137-181). Hillsdale, NJ : Erlbaum.

Harter, S. (1988). The construction and conservation of the self : James and Cooley revisited. In D. K. Lapsley & F C. Power (Eds.), *Self, ego, and identity : Integrative approaches* (pp. 43-70). New York : Springer-Verlag.

Markus, H. M., & Nurius, P. (1987). Possible selves : The interface between motivation and the self-concept. In K. Yardley & T. Honess (Eds.), *Self and identity : Psychosocial perspectives*, (pp. 157-172). New York : Wiley.

Markus, H. M., & Ruvulo, A. (1990). Possible selves : Personalized representations of goals. In L. Pervin (Ed.), *Goal concepts in psychology* (pp. 211-241). Hillsdale, NJ : Erlbaum.

McCombs, B. L. (1986). The role of the self-system in self-regulated learning. *Contemporary Educational Psychology*, 11, 314-332.

McCombs, B. L. (1989). Self-regulated learning and academic achievement : A phenomenological view. In B. J. Zimmerman & D. H. Schunk (Eds.), *Self-regulated learning and academic achievement : Theory, research, practice* (pp. 51-82). New York : Springer-Verlag.

McCombs, B. L., & Marzano, R.J. (1990). Putting self in self-regulated learning : The self as agent in integrating will and skill. *Educational Psychologist*, 25 (1), 51-69.

Nicholls, J. G. (1983). Conceptions of ability and achievement motivation : A theory and its implications for education. In S. G. Paris, G. M. Olson, & H.W. Stevenson (Eds.), *Learning and motivation in the classroom* (pp. 211-237). Hillsdale, NJ : Erlbaum.

Nicholls, J. G. (1984). Achievement motivation : Conceptions of ability, subjective experience, choice, and performance. *Psychological Review*, 91 (3), 328-346.

Ryan, R. M. (1993). The nature of the self in autonomy and relatedness. In G. R. Goethals & J. Strauss (Eds.), *Multidisciplinary perspectives on the self* (pp. 208-238). New York : Springer-Verlag.

Ryan, R. & Stiller, J. (1991). The social contexts of internalization : Parent and teacher influences on autonomy, motivation, and learning. In M. L. Maehr & Pintrich (Eds.), *Advances in motivation and achievement* (Vol. 7, pp. 115-149). Greenwich, CT : JAI Press.

Suarez, F. M. (1988). A neo-cognitive dimension. *Counseling Psychologist*, 16 (2), 239-244.

Suarez, R., Mills, R. C., & Stewart, D. (1987). *Sanity, insanity, and common sense*. New York : Fawcett Columbine.

Weiner, B. (1990). History of motivational research education. *Journal of Educational Psychology*. 82 (4), 616-622.

Objectif 2

Comprendre la motivation et les façons de la développer

- Nouvelles conceptions du rôle des enseignants
- Que signifie motiver les élèves ?
- En résumé
- Bibliographie

Autrefois, on insistait surtout sur l'acte d'enseigner qui consistait à aider les élèves à acquérir et mémoriser des contenus dans des domaines variés. Transmetteurs de connaissances, les enseignants se préoccupaient essentiellement de la manière de présenter des faits, des exemples ou des procédures. Bien qu'il s'agisse là d'une tâche essentielle, les tendances actuelles de la théorie et des pratiques dans le domaine de l'apprentissage suggèrent que c'est la facilitation de l'apprentissage qui jouerait un rôle plus déterminant. En effet, la manière dont les enseignants assument leur rôle a un impact significatif, non seulement sur la qualité de l'apprentissage des élèves, mais aussi sur leur degré de motivation.

Nouvelles conceptions du rôle des enseignants

Les changements que nous observons dans la conception du rôle des enseignants découlent d'une compréhension plus approfondie des processus d'apprentissage. Des conceptions plus anciennes et plus traditionnelles considéraient l'enseignant quasiment comme seul responsable du succès ou de l'échec de l'apprentissage. Apprendre était perçu comme un processus passif qui reposait sur des enseignants chargés de présenter, structurer et transmettre des contenus aux élèves, ces derniers agissant comme des « éponges » qui absorbaient les informations pratiquement telles qu'elles leur étaient présentées. Les conceptions actuelles de l'éducation placent désormais l'élève comme responsable essentiel de son apprentissage. Apprendre est considéré comme un processus actif, centré sur des objectifs précis, au cours duquel les élèves transforment et adaptent les contenus qui leur sont transmis. Ils se construisent ainsi de nouvelles connaissances en fonction de critères qui n'ont de sens que pour eux-mêmes.

En vertu des idées actuelles, les élèves devraient avoir la responsabilité de mémoriser et d'utiliser l'information selon des modalités qui devraient engendrer des changements permanents dans leurs connaissances et leurs capacités. On attend des élèves qu'ils sachent s'autodiriger, s'autoréguler et s'automotiver. Dans la mesure où les élèves n'ont pas tous le même désir et la même capacité à assumer cette responsabilité, c'est à vous, enseignants, qu'il incombe de contribuer à provoquer et développer la motivation naturelle des élèves à apprendre et leur capacité naturelle à l'autodétermination.

Il existe deux manières fondamentales pour y parvenir.

Premièrement, vous pouvez consacrer tous vos efforts à aider les élèves à comprendre comment fonctionnent leurs propres processus mentaux. Cela implique que vous les aidiez à comprendre les façons dont ils peuvent déformer le sens de certaines choses (les significations) basées sur leur système de références et leurs émotions négatives, c'est-à-dire sur la façon dont leurs processus mentaux opèrent en fonction de l'état psychologique, de l'humeur dans lesquels ils se trouvent. Deuxièmement, vous pouvez établir un climat de sécurité affective et d'intérêt qui vous permette de montrer aux élèves leur valeur personnelle et leur importance, et de leur donner des occasions de construire des relations intéressantes. Vous devez les aider à identifier des modèles de comportement et à faire l'expérience de relations avec les autres où ils auraient à jouer un rôle de conseiller ou de guide, tout cela dans une atmosphère d'encouragement au respect bienveillant et au soutien mutuel.

L'approche prônée ici consiste à partir de l'hypothèse que la mauvaise humeur ou les états d'anxiété ou d'insécurité se déclenchent lorsque les jeunes sentent que leur survie ou leur estime d'eux-mêmes est menacée. Une fois déclenchés, les états d'esprit négatifs s'autoconfirment, l'information finit par être déformée, et ces adolescents se sentent de plus en plus menacés et angoissés. La stratégie d'intervention consiste à les libérer et les autoriser à fonctionner dans leur état naturel de bien-être mental et de motivation à apprendre, plutôt qu'à leur « bricoler une solution ».

Que signifie motiver les élèves ?

Pensez aux notions que nous venons d'aborder concernant la nature de la motivation. Qu'est-ce qui peut entraver ou étouffer la motivation naturelle d'apprendre ? Quel rôle crucial pouvez-vous jouer par la qualité de vos interactions avec les élèves ?

Les principes de base qui émanent des recherches sont les suivants :

1. Les élèves sont motivés par des situations d'apprentissage et des activités qui
   (a) les poussent à s'investir personnellement et activement dans leur propre apprentissage ;
   (b) autorisent des choix et un contrôle personnels correspondant à leurs capacités et aux exigences de la tâche concernée.
2. La motivation des élèves est stimulée s'ils perçoivent que les tâches d'apprentissage
   (a) sont en rapport direct ou indirect avec des besoins, des intérêts et des objectifs personnels ;

(b) sont d'un niveau de difficulté approprié, ce qui leur permet de s'en acquitter avec succès.

3. La motivation naturelle à apprendre peut s'épanouir dans des environnements rassurants, affectivement sécurisants et encourageants qui se caractérisent par
   (a) des relations de qualité avec des adultes attentifs et bienveillants qui prennent en considération des potentiels individuels ;
   (b) des supports d'apprentissage et des contenus qui s'adaptent aux besoins d'apprentissage individuels des élèves ;
   (c) des occasions qu'on leur offre de prendre des risques sans redouter l'échec.

Ainsi, il faut qu'enseigner soit un processus qui incite les élèves à prendre le contrôle de leur propre apprentissage et qui leur fasse bénéficier de niveaux de contrôle adaptés à leurs capacités de s'acquitter de tâches d'apprentissage spécifiques.

Ces principes de base ont une incidence certaine sur le rôle de l'enseignant en tant que *« stimulateur »*. Premièrement, ils impliquent que l'enseignant apprenne à connaître chacun de ses élèves et sache quels sont ses besoins et ses centres d'intérêt. Bien renseigné, l'enseignant est alors en mesure de fournir aux élèves une guidance individualisée et de voir avec eux si leurs objectifs personnels cadrent avec les objectifs d'apprentissage fixés pour la classe. L'enseignant peut aussi utiliser cette connaissance des besoins et des centres d'intérêt des élèves pour structurer ses objectifs pédagogiques et ses activités et faire en sorte que chaque élève puisse atteindre ses propres objectifs et éprouve le sentiment de réussir.

Deuxièmement, ces principes impliquent également que l'enseignant consacre ses efforts à encourager les élèves à assumer la responsabilité de leur propre apprentissage et à s'engager activement dans les expériences d'apprentissage qui se présentent à eux. Savoir que les élèves ont la motivation naturelle de consacrer le temps, les efforts et l'énergie nécessaires aux domaines qui les intéressent ou revêtent une signification personnelle pour eux, rend cette tâche de stimulation plus aisée. De plus, sachant que les élèves éprouvent le besoin essentiel de pouvoir, dans une certaine mesure, choisir et contrôler leurs activités d'apprentissage pour être motivés au maximum, une des stratégies efficaces de stimulation consiste à leur donner des occasions d'exercer un contrôle et un choix personnels sur certaines variables dans des tâches soigneusement sélectionnées. Ces variables peuvent être le type d'activité même, le niveau de maîtrise exigé, la quantité d'efforts requis ou le type de récompense.

Enfin, ces principes impliquent que le rôle essentiel de l'enseignant consiste à établir en classe un climat de confiance, de soutien et de sécurité affective en faisant preuve d'un intérêt, d'une bienveillance et d'un souci authentiques pour chaque élève. Les recherches qui ont été faites suggèrent que pour établir ce climat propice, il faut mettre l'accent sur des structures et des objectifs d'apprentissage non compétitifs contrairement à des structures et des objectifs de performance compétitifs qui contraignent certains élèves à perdre pour que d'autres puissent gagner, dans un jeu d'apprentissage essentiellement axé sur la compétition*. Pour que s'établisse un climat dénué de risques pour les élèves, il faut également mettre en valeur les résultats, les talents et capacités propres à chacun, et insister sur l'intérêt des processus d'apprentissage et des tâches à accomplir.

Récompenser les bons résultats et encourager les élèves à se récompenser eux-mêmes et tirer fierté de leurs performances leur permet de sentir que l'on s'intéresse à eux. Le rôle de l'enseignant en tant que « stimulateur » attaché à développer chez les élèves des perceptions positives d'eux-mêmes et une véritable motivation d'apprendre, est un rôle crucial, créatif et stimulant. Apprendre est une dynamique fondée sur des objectifs précis. L'enseignant doit le comprendre et tirer profit de stratégies destinées à faire naître chez les élèves des réflexions et des comportements actifs servant des objectifs définis ; il doit également aider les élèves à découvrir le pouvoir qu'ils ont de créer des attitudes positives, mais aussi de modifier des attitudes négatives à propos d'eux-mêmes ou de leur apprentissage.

* Voir M. V. Covington & K. M. Teel (2000). *Vaincre l'échec scolaire.* Bruxelles, De Boeck Université

En résumé

Nous avons consacré l'objectif n° 2 à définir le rôle de l'enseignant en tant que « stimulateur », dans la perspective où les élèves sont naturellement motivés pour apprendre quand ils comprennent le rapport qui existe entre pensées négatives et motivation réduite, quand ils poursuivent des objectifs d'apprentissage qui signifient quelque chose pour eux, et quand ils sont épaulés par des enseignants capables d'établir avec eux des relations de respect et de bienveillance. Les fonctions motivationnelles spécifiques qui découlent des principes motivationnels de base et de leurs répercussions sur le rôle des enseignants, se divisent en cinq catégories. Ces cinq catégories seront traitées dans les objectifs 3 et 4, tout comme les stratégies et activités de classe à utiliser pour soutenir la motivation. Voici quelles sont ces fonctions :

1. faire découvrir aux élèves la façon dont leurs pensées influencent leurs humeurs et leur motivation, et la manière dont ils peuvent contrôler ces pensées ;
2. aider les élèves à s'accorder de la valeur et à apprécier davantage les apprentissages et les activités spécifiques qu'on leur conseille ;
3. donner aux élèves l'occasion de poursuivre des objectifs d'apprentissage qui aient une signification personnelle et stimuler ainsi leurs tendances naturelles à apprendre, à se développer et assumer la responsabilité de leur apprentissage ;
4. encourager la prise de risques pour compenser les conséquences potentiellement négatives de la vie scolaire que peuvent être l'ennui, la crainte de l'échec et le désinvestissement ;
5. établir un climat positif de soutien social et affectif qui permette aux élèves de se sentir individuellement considérés et respectés.

À la fin de l'objectif 2, une bibliographie sélective vous fournit d'autres sources de réflexion et d'encouragement et une bibliographie en langue française figure à la fin de l'ouvrage.

ACTIVITÉS AUTODIRIGÉES

Question 1

Quelles sont pour vous les deux manières les plus significatives d'agir en « stimulateur » ?

Question 2

Quelles sont, à votre avis, les composantes les plus importantes du rôle que joue un enseignant dans la motivation des élèves ?

Question 3

Les aspects du rôle de l'enseignant tel que nous l'avons décrit ici ont-ils changé votre conception de ce qui préside à l'instauration d'un environnement positif et propice à la réussite des élèves ? Si oui, comment ?

Question 4

Comment votre interprétation de ces concepts a-t-elle modifié votre réaction face aux exemples de Natacha et Kevin ?

Question 5

Décrivez la manière dont les éléments présentés ici pourraient être mis à profit dans votre propre classe, face à des élèves à risques.

RÉPONSES AUX QUESTIONS

1

Deux des concepts-clés que vous pouvez avoir identifiés sont les suivants :

a) Privilégier le travail qui consiste à aider les adolescents à comprendre comment leurs processus mentaux opèrent ;

b) Établir un environnement sécurisant qui montre aux élèves que l'on s'intéresse à eux.

2

Parmi les éléments qui caractérisent le mieux le rôle de l'enseignant, vous serez sans doute nombreux à privilégier le diagnostic et la compréhension des besoins, des intérêts et des objectifs propres de chacun des élèves.

3

Les réponses pourront varier.

4

Les réponses pourront varier ; néanmoins, nous espérons qu'elles incluront une vision des choses du point de vue de Natacha et de Kevin ; il s'agira d'établir la confiance et de travailler avec ces élèves pour choisir la meilleure façon de les impliquer dans leur propre apprentissage et de savoir comment répondre à leurs besoins.

5

Les réponses, ici encore, pourront varier.

Bibliographie

McCombs, B. L. (1988). Motivational skills training : Combining metacognitive, cognitive, and affective learning strategies. In C. F. Weinstein (Eds.), *Learning and study strategies : Issues in assessment, instruction, and evaluation* (pp. 141-169). San Diego, CA : Academic Press.

McCombs, B. L., & Whisler, J. S. (1989). The role of affective variables in autonomous learning. *Educational Psychologist*, 24 (3), 277-306.

Mills, R. C. (1990, June). *Substance abuse, dropout, and prevention : An innovative approach*. Paper at the 8th annual conference of the Psychology of Mind, St. Petersburg, Florida.

Mills, R. C., Dunham, R. G., & Alpert, G. P. (1988). Working with high-risk youth in prevention and early intervention programs : Toward a comprehensive model. *Adolescence*, 23 (91), 643-660.

Peck, N., Law, A., & Mills, R. C. (1989). *Dropout prevention : What we have learned*. Ann Arbor, MI : ERIC Counseling and Personnel Services Clearinghouse.

Stewart, D. (1984, May). *The effect of teacher / student states of mind in raising reading achievement in high-risk, cross-cultural youth*. Paper presented at the 4th annual conference of Psychology of Mind, Honolulu, Hawaii.

Stewart, D. (1993). *Creating the teachable moment*. Blue Ridge Summit, PA : TAB Books.

Timm, J. (1992). *Self-esteem is for everyone (SEE) program*. Tampa, FL : Learning Advantages.

Timm, J., & Stewart, D. (1990). *The thinking teacher's guide to self-esteem*. Tampa : Florida Center for Human Development.

OBJECTIF

3

AIDER LES ÉLÈVES À COMPRENDRE QUI ILS SONT ET À S'ACCORDER DE LA VALEUR

Les deux chapitres suivants, objectifs 3 et 4, vous proposeront des outils et des conseils pratiques pour motiver « les élèves difficiles à motiver ». Dans l'objectif 3, nous nous concentrerons sur deux stratégies importantes que l'on peut mettre en place avec les élèves individuellement pour améliorer leur motivation et leur développement personnel en général.

Dans un premier temps, nous verrons comment aider les élèves à comprendre leur propre fonctionnement psychologique et leur potentiel de contrôle actif, c'est-à-dire à voir comment opèrent leurs processus mentaux.

Puis, dans une deuxième partie, nous verrons comment aider les élèves à s'accorder de la valeur et à trouver des mérites aux processus d'apprentissage. Ces éléments contribuent de façon déterminante à réduire tout sentiment d'insécurité ou d'inquiétude et à inciter les élèves à retrouver leur motivation naturelle d'apprendre tout en se développant de manière positive. Ce sont aussi des stratégies que vous pouvez utiliser vous-mêmes pour réduire le stress et le sentiment de découragement.

Comme nous l'avons vu dans les chapitres précédents, basés sur la manière dont les échanges de qualité et les relations entre pensée et sentiment peuvent influer sur la motivation d'apprendre, les meilleures approches pour toucher les élèves difficiles à motiver sont celles qui « viennent du cœur ». Ce sont des approches adoptées par des enseignants qui sont capables de voir le potentiel de bien-être mental et de motivation naturelle propre à chaque élève, qui comprennent que les émotions et les comportements négatifs proviennent d'un sentiment d'insécurité, et savent qu'ils ne doivent pas prendre ces réactions négatives pour des attaques personnelles. Dans cette perspective, les enseignants peuvent véritablement respecter et comprendre chaque élève et faire confiance à leur propre bon sens pour adapter au mieux leurs actions aux situations individuelles. Parallèlement, ils ont néanmoins besoin d'être guidés pour accéder à ce niveau de compréhension, et c'est dans ce but que conseils et outils sont présentés dans ce chapitre.

AIDER LES ÉLÈVES À COMPRENDRE LEUR FONCTIONNEMENT PSYCHOLOGIQUE ET LEURS POSSIBILITÉS D'AUTOCONTRÔLE

Les enseignants doivent montrer aux élèves comment leurs propres pensées influent sur leurs humeurs et leur motivation, mais aussi leur démontrer qu'ils ont un contrôle sur ces pensées qui affectent leur apprentissage. Les élèves étant naturellement motivés pour apprendre en l'absence de pensées et de sentiments négatifs dirigés contre eux-mêmes et leur apprentissage, les enseignants doivent les aider à analyser, contourner ou ignorer ces pensées et émotions nocives. Ceci implique que l'on enseigne aux élèves les principes de base du fonctionnement de la psychologie humaine.

Voici les principes tirés des travaux de Roger Mills, Darlene Stewart et Jeffrey Timm (voir la bibliographie de la fin de l'objectif 1), que l'on peut enseigner aux élèves :

> ***Les sentiments naissent de la pensée***
> Les sentiments sont le fruit d'une « cuisine interne » et naissent des pensées. Si un élève pense, « À

l'école, on s'ennuie et on perd son temps », il éprouvera des sentiments qui vont de l'apathie et l'ennui à l'anxiété et la désaffection, voire à l'aliénation. Par contre, si un élève se dit « L'école, c'est intéressant et ça vaut le coup que je fasse des efforts », il éprouvera des sentiments qui vont de l'enthousiasme de l'intérêt à la curiosité et à l'attachement.

En d'autres termes, les sentiments négatifs naissent de pensées négatives, et les sentiments positifs naissent de pensées positives.

Vous contrôlez vos sentiments

Si les sentiments proviennent des pensées et que les pensées sont générées par chaque individu, chacun d'entre nous peut donc contrôler ses sentiments en contrôlant ce qu'il pense. Les sentiments ne peuvent nous être imposés de l'extérieur ; ils viennent de l'intérieur. Quelquefois, ce n'est pourtant pas l'impression que nous avons, en particulier lorsque nos pensées sont lourdement influencées par les valeurs, les opinions et les attitudes des autres individus ou groupes d'individus. Par exemple, on voit fréquemment les jeunes enfants reprocher des sentiments négatifs à quelqu'un ou à quelque chose : « J'étais triste quand j'ai vu qu'elle ne m'invitait pas à la fête ». Il est néanmoins vrai que quelqu'un peut agir d'une manière susceptible de nous inspirer une pensée négative, mais dans cet exemple précis, ce n'est pas ce que la personne a fait qui a rendu l'enfant triste. C'est ce que l'enfant a pensé de ce que la personne avait fait. Ne pas être invité à une fête peut donner naissance à des pensées du style « Elle a invité tout le monde sauf moi. Elle m'a laissé tomber. Je suis sûr qu'elle ne m'aime pas. » C'est cette pensée-là qui produit le sentiment d'être rejeté, la déception et le ressentiment. Par ailleurs, si l'enfant dont nous parlons avait choisi de penser « J'aurais bien aimé être invité à la fête, mais ce n'est pas grave. Je ne vais pas me faire du souci pour ça », ses sentiments seraient tout autres.

Lorsque vous expliquez le fonctionnement de leur pensée aux élèves, n'oubliez pas que, comme nous venons de le voir, les pensées négatives produisent des sentiments négatifs. C'est parce que chacun d'entre nous peut contrôler ce que nous choisissons de penser d'une situation donnée que nous pouvons aussi contrôler nos réactions face à ce que nous pensons ; en d'autres termes, nous pouvons contrôler nos émotions. Même aux jeunes enfants, on peut enseigner que les émotions négatives (être triste, en colère, avoir peur) nous disent que nous pensons des choses négatives (par exemple, que quelqu'un a essayé de nous faire du mal ou que personne ne nous aime). Quand nous nous sentons bien, cela veut généralement dire que nous pensons des choses positives.

C'est le processus de la pensée qui crée notre expérience, notre réalité personnelle

Nos pensées sont un outil très puissant. Bien que nous n'en ayons pas toujours conscience, nous pensons sans arrêt. Lorsque quelque chose se produit, nous interprétons instantanément ce que cet événement signifie. Que cette interprétation soit juste ou pas, nous avons tendance à croire ce que nous pensons. Par exemple, quand un élève ne cesse de bavarder en classe, vous interprétez automatiquement ce que signifie ce comportement. Votre interprétation reposera sur ce que vous croyez et avez pensé par le passé. Vous pourriez, par exemple, penser « Vraiment, cet élève se fiche de moi ». Vous êtes alors fâché ou vous vous inquiétez de savoir comment réagir. Votre interprétation peut très bien être fausse et il se peut que l'élève bavarde pour d'autres raisons sans rapport avec vous. En prenant un moment pour réfléchir et vérifier que l'élève ne suit pas simplement une impulsion sociale naturelle ou n'éprouve pas soudain un manque de confiance en lui, vous parviendrez à ignorer votre interprétation personnelle et à corriger le comportement de l'élève sans ressentir d'émotion négative. Les élèves qui manquent sciemment de respect à l'égard de leur professeur réagissent eux-mêmes à des pensées et des sentiments négatifs. En apprenant à ne pas prendre ces réactions pour des attaques personnelles, vous augmentez vos chances d'en parler avec l'élève et d'éviter un ostracisme plus prononcé.

Les élèves peuvent apprendre à faire la même chose. Ils peuvent découvrir que leurs interprétations ont des chances d'être très éloignées de la réalité, et prendre ensuite la peine d'étudier d'autres possibilités pour éviter de « prendre mal les choses ».

Un sentiment d'insécurité ou d'inquiétude est le dénominateur commun entre mauvaise estime de soi et attitude négative

Les mauvais comportements en classe viennent essentiellement d'un manque d'estime de soi. Les élèves ne sont pas des monstres égocentriques malveillants qui cherchent perpétuellement à attirer l'attention ; c'est simplement leur peur et leur anxiété qui les trahit. Les adultes ont parfois du mal à le détecter, notamment chez les enfants et les préadolescents. Un élève essuie une rebuffade de la part d'un camarade, une dispute éclate, il se fait insulter, etc., et la réaction typique est de se sentir personnellement agressé et de réagir par des sentiments et des actes négatifs.

Lorsqu'on y pense, néanmoins, le comportement négatif des adultes et des jeunes peut être attribué à une sorte de sentiment d'insécurité, d'inquiétude. L'enfant qui se fait remarquer en classe peut de cette manière trahir son anxiété par rapport à ses capacités scolaires, à sa position sociale ou à tout autre événement de sa vie scolaire ou familiale.

Aider les élèves à comprendre qu'un sentiment d'insécurité ou un manque d'estime de soi sont à l'origine de comportements négatifs, peut contribuer à leur inspirer davantage de sympathie et d'empathie à l'égard des autres. Savoir qu'ils peuvent apprendre à contrôler leurs pensées et leurs sentiments devrait aussi les encourager à renouer avec leur motivation et leur amour-propre naturels.

PROPOSITIONS D'ACTIVITÉS

Comprendre le cycle de la pensée

Si les élèves doivent mettre à profit les principes que nous venons d'évoquer, il leur faut d'abord comprendre comment fonctionne le cycle de la pensée. La figure 1 montre comment les pensées d'un élève affectent ses sentiments et son comportement, et ce qui en résulte.

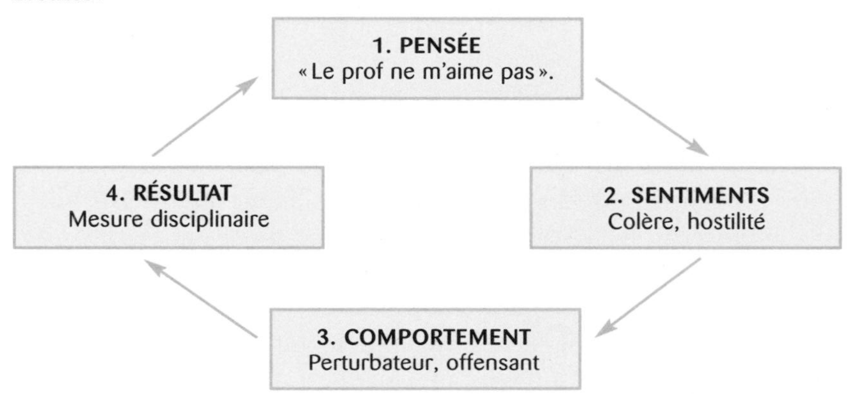

FIGURE 1
Le cycle de la pensée

L'exemple ci-dessus montre que c'est l'idée que le professeur ne l'aime pas qui induit chez l'élève des sentiments négatifs de colère et d'hostilité. À leur tour, ces sentiments donnent lieu à un comportement perturbateur ou incorrect. L'épisode se solde par une mesure disciplinaire de la part du professeur qui ne fait que renforcer la conviction de l'élève que le professeur ne l'aime pas. L'élève vérifie l'hypothèse qu'il a faite en premier lieu, sans voir que c'est dans sa pensée que les sentiments négatifs ont pris naissance !

Une technique efficace auprès des élèves consiste à voir avec eux comment ce cycle fonctionne, à donner des exemples d'autres pensées (positives ou négatives), à décrire les sentiments et comportements que ces pensées induisent et à faire une liste des résultats les plus probables. Une fois que les élèves ont compris comment ce cycle fonctionne avec des pensées d'une autre nature, ils peuvent faire des exercices, seuls ou en groupes, pour analyser les pensées négatives qui leur viennent dans certaines situations (en rapport avec l'école, la maison, les camarades, etc.). Pour les aider, on peut, par exemple, leur faire remplir une fiche d'analyse comme celle qui suit et que vous pouvez adapter à votre classe.

Avant d'utiliser cet exercice avec les élèves, il est important que vous vérifiiez d'abord comment il fonctionne pour vous. Pensez à une situation qui vous énerve particulièrement et passez-la au filtre du Cycle de la pensée. Pensez à des exemples que vous aimeriez partager avec vos élèves.

Exercice : le cycle de la pensée

Décrivez une situation déplaisante ou conflictuelle à laquelle il vous arrive d'être confronté à l'école, à la maison ou avec des amis. Remplissez ensuite le diagramme du Cycle de la pensée (figure 2) en y inscrivant vos pensées, vos sentiments et vos comportements, et la situation qui en découle. Un exemple de situation déplaisante parmi tant d'autres pourrait être « l'obligation de se lever tôt le samedi matin pour aider à faire le ménage ».

Situation : ____________________

____

____

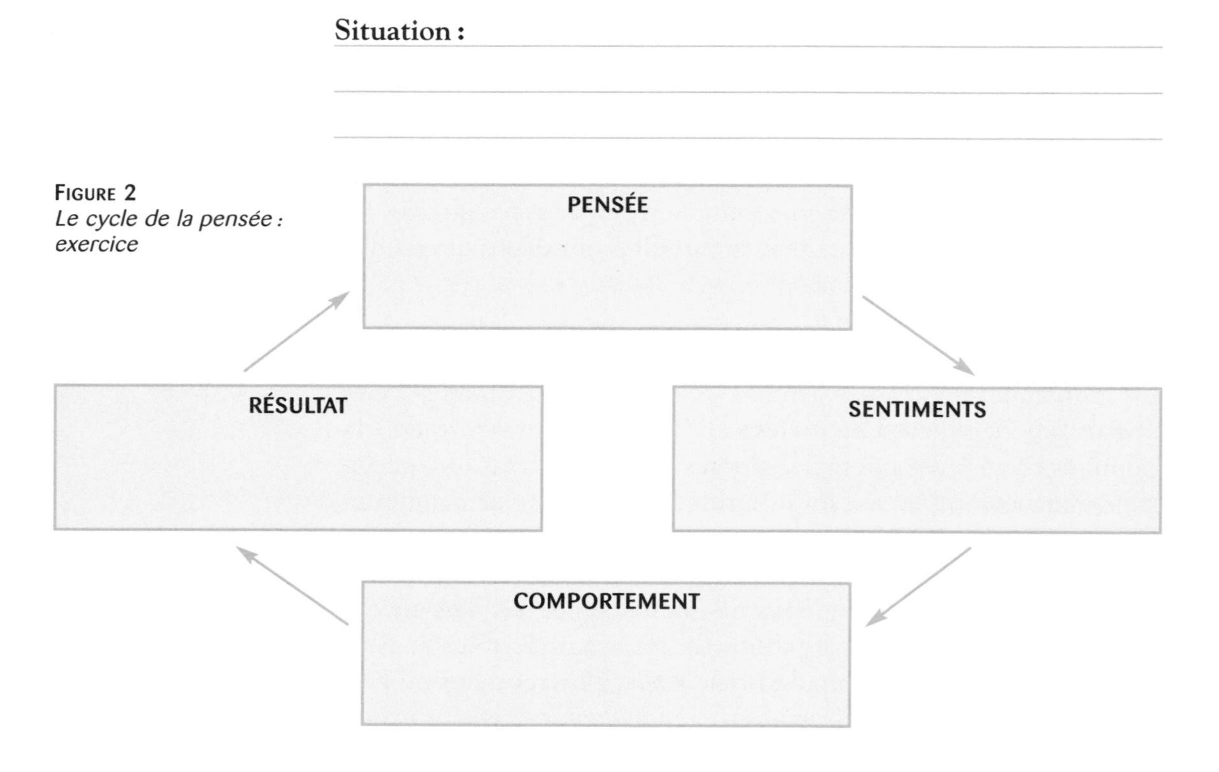

FIGURE 2
Le cycle de la pensée : exercice

Comprendre le principe des réalités divergentes

Une fois que les élèves comprennent le fonctionnement du cycle de la pensée, ils sont prêts à admettre que chacun contrôle ses sentiments en contrôlant ses pensées. Ils découvriront alors que tout commence par la pensée et que des individus différents peuvent avoir des pensées très différentes face à une même situation.

Il existe des moyens d'aider les élèves à mieux comprendre le principe de réalités divergentes. Impliquer les élèves dans des débats organisés peut s'avérer très utile, car ils pourront donner des exemples personnels de situations suceptibles d'être perçues différemment par d'autres camarades. On peut commencer avec un exemple comme celui qui suit.

EXEMPLE

Depuis quelque temps, Tara et sa mère se disputent à propos du problème du maquillage. Tara a 11 ans et la plupart de ses camarades ont le droit de se maquiller les yeux pour aller à l'école. Sa mère pense qu'elle devrait attendre d'avoir 13 ans et d'être en 4e. Tara pense qu'elle est en âge de se maquiller puisque toutes ses camarades le font. Tara et sa mère sont en conflit à ce propos parce qu'elles ne voient pas les choses de la même façon. Elles ont des opinions différentes sur une même situation.

La mère de Tara se dit: « Se maquiller avant la 4e, c'est pour se faire remarquer auprès des garçons, et on sait où ça mène ». Ces pensées la contrarient, l'inquiètent et l'effraient. Ces sentiments la conduisent à imposer des règles strictes à sa fille, à crier lorsqu'elle essaie de la raisonner, et à lui interdire de sortir lorsque celle-ci se rebiffe.

Tara se dit: « Tous les parents de mes copines les laissent se maquiller pour aller à l'école. Ma mère est vraiment injuste, vraiment pas cool. Elle ne comprend rien. » Ces pensées mettent Tara en colère, la rendent malheureuse et amère. Ces sentiments la conduisent à se disputer et à s'opposer violemment à sa mère, à pleurer et à proférer des paroles blessantes.

On aboutit à une situation de conflit majeur, et le cercle vicieux se perpétue chaque fois que le sujet du maquillage refait surface.

Il faut aider les élèves à voir comment fonctionne le principe des réalités divergentes pour qu'ils comprennent ce qui crée des conflits entre les individus et parfois même les cultures. Les activités à proposer aux élèves peuvent inclure des thèmes de débat comme ceux qui suivent.

Niveau école primaire

- Quelles sont les réalités divergentes qui créent des disputes entre frères et soeurs ?
  (ex : des conceptions différentes du partage des jouets)
- Quelles sont les réalités divergentes qui créent des conflits entre camarades ?
  (ex : des points de vue différents sur un choix de distraction commune)
- Quelles sont les réalités divergentes qui créent des conflits entre voisins ?
  (ex : des divergences d'opinions sur le jour convenu pour tondre les pelouses ou la couleur à choisir pour repeindre les clôtures)
- Quelles sont les réalités divergentes qui créent des conflits entre les gens ?
  (ex : des conceptions différentes de la conduite automobile)

Niveau secondaire

- Quelles sont les réalités divergentes qui peuvent engendrer des désaccords entre hommes et femmes ?
  (ex : des divergences d'opinion concernant le travail, la répartition des tâches et des rôles, le temps à consacrer aux loisirs)
- Quelles sont les réalités divergentes qui créent des conflits entre pays ?
  (ex : des conceptions différentes des limites territoriales)

- Quelles sont les réalités divergentes qui créent des conflits entre partis politiques ?
  (ex : des points de vue différents sur le niveau de contrôle gouvernemental souhaitable, l'aide sociale, les taux d'imposition)
- Quelles sont les réalités divergentes qui peuvent engendrer des conflits entre différentes communautés raciales ou ethniques ?
  (ex : des points de vue différents sur les valeurs déterminant leurs performances dans divers domaines)

Le cycle de la pensée dans les conflits interpersonnels

Une fois que les élèves saisiront bien l'importance que la compréhension des réalités divergentes peut avoir dans leur vie, ils seront curieux de savoir de quelle manière le principe peut les aider dans les conflits générés par la confrontation de réalités divergentes. Un exercice auquel on peut avoir recours consiste à faire travailler les élèves, individuellement ou en groupes, sur « Le cycle de la pensée dans les conflits interpersonnels ».

Commençons par étudier les exemples suivants de cycles négatifs en cherchant à voir comment les interrompre.

Tout d'abord, nous verrons le cas de Lana, 9 ans, et de sa mère. Elles sont en conflit à propos de la question suivante : Lana est-elle en âge de rester seule à la maison les deux soirs de la semaine où sa maman rentre tard du travail ?

Puis nous évoquerons le cas de William, 14 ans, et de son père. Ils sont en conflit pour déterminer si William est réellement prêt à apprendre à conduire.

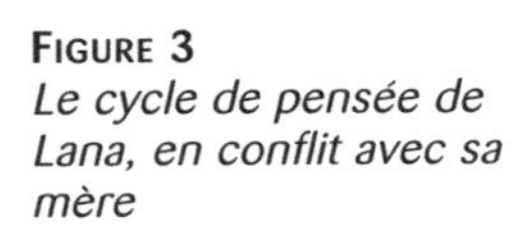

FIGURE 3
Le cycle de pensée de Lana, en conflit avec sa mère

PENSÉES DE LANA
« Elle me prend pour un bébé.
Elle croit que je ne suis pas capable
de me débrouiller toute seule ».

SENTIMENTS
Colère, amertume

COMPORTEMENT
Argumente, geint et se plaint

RÉACTION ET PENSÉES DE LA MÈRE
« Elle n'est pas mûre et en plus,
elle me manque de respect.
Elle n'est pas prête à rester
toute seule. »

SENTIMENTS
Colère, amertume

COMPORTEMENT
Refuse la discussion
Refuse de changer les consignes

FIGURE 4
Cycle de pensée de William, en conflit avec son père

PENSÉES DE WILLIAM
« Il me prend pour un idiot.
Il ne me laisse pas ma chance. »

SENTIMENTS
Frustration, déception, nervosité

COMPORTEMENT
Maladroit
Fait des erreurs

RÉACTION ET PENSÉES DU PÈRE
« Il a du mal à comprendre.
Il n'y arrivera pas. »

SENTIMENTS
Colère, déception

COMPORTEMENT
Crie, refuse que son fils conduise

Dans ces exemples, Lana et William montrent qu'ils sont inquiets, ce que reflètent leurs pensées. Mais ces pensées et sentiments d'anxiété ont un effet pervers et se soldent par des comportements qui ne font que les renforcer. L'observation de ces comportements encourage la mère de Lana et le père de William à douter que leurs enfants soient réellement prêts à s'engager dans des activités qui exigent plus de maturité qu'ils n'en montrent. La réaction de chaque parent reflète ce qu'il ou elle pense et ressent. Ceci justifie, en retour, les pensées de Lana et William. Le cercle vicieux se perpétue ainsi à l'infini.

On peut utilement aider les élèves à voir qu'ils *peuvent* rompre ce cercle vicieux en choisissant de penser la situation différemment. Les figures 5 et 6 montrent comment cela peut fonctionner dans le cas de Lana et de William.

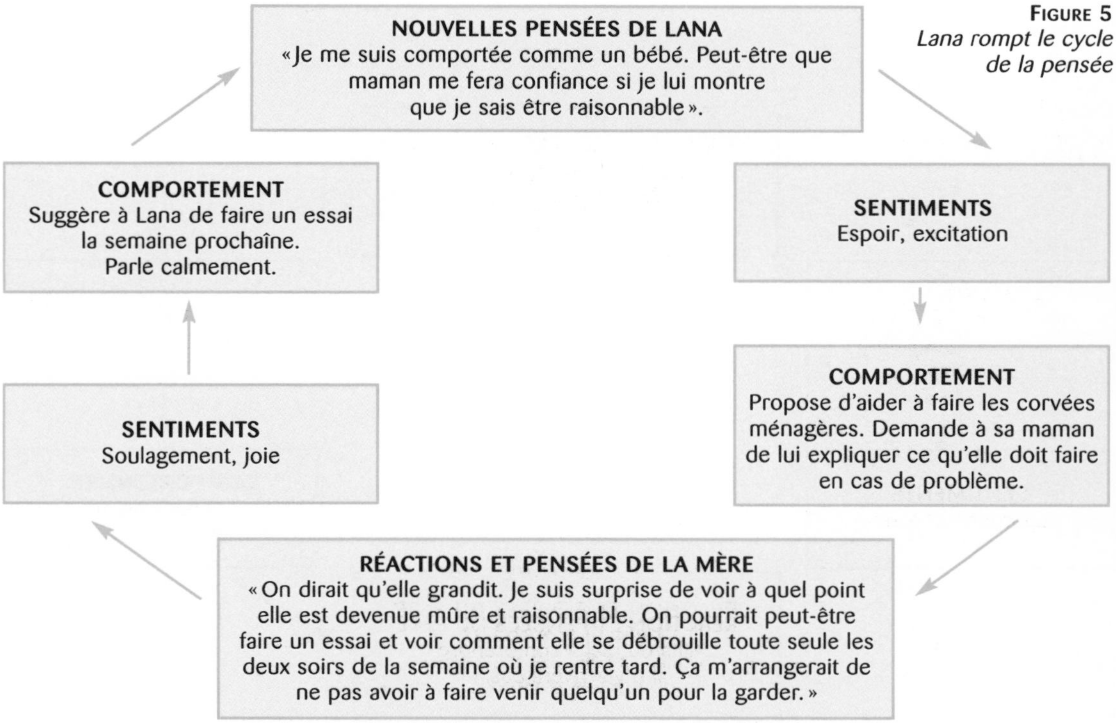

NOUVELLES PENSÉES DE LANA
« Je me suis comportée comme un bébé. Peut-être que maman me fera confiance si je lui montre que je sais être raisonnable ».

SENTIMENTS
Espoir, excitation

COMPORTEMENT
Propose d'aider à faire les corvées ménagères. Demande à sa maman de lui expliquer ce qu'elle doit faire en cas de problème.

RÉACTIONS ET PENSÉES DE LA MÈRE
« On dirait qu'elle grandit. Je suis surprise de voir à quel point elle est devenue mûre et raisonnable. On pourrait peut-être faire un essai et voir comment elle se débrouille toute seule les deux soirs de la semaine où je rentre tard. Ça m'arrangerait de ne pas avoir à faire venir quelqu'un pour la garder. »

SENTIMENTS
Soulagement, joie

COMPORTEMENT
Suggère à Lana de faire un essai la semaine prochaine.
Parle calmement.

FIGURE 5
Lana rompt le cycle de la pensée

Exemple

Lana commence à comprendre que geindre, se plaindre et se disputer avec sa mère n'aboutira à rien. Elle décide de reconnaître qu'elle s'est peut-être effectivement comportée comme un bébé et pense que si elle prouve à sa mère qu'elle sait être raisonnable, celle-ci pourrait revenir sur sa décision de ne pas la laisser seule les deux soirs en question. Maintenant, Lana se sent mieux et a même hâte de prouver à sa mère qu'elle est une grande fille. Elle commence à faire davantage de choses dans la maison et prend l'initiative de mémoriser tous les numéros de téléphone et les consignes indispensables en cas d'urgence. Sa maman perçoit ces changements et décide de donner à Lana l'occasion de rester toute seule à l'essai les deux premiers soirs. Comme elle se sent mieux, elle est plus calme et peut parler posément de sa décision avec Lana. Lana a découvert qu'elle pouvait choisir de penser la situation différemment et obtenir ainsi de meilleurs résultats.

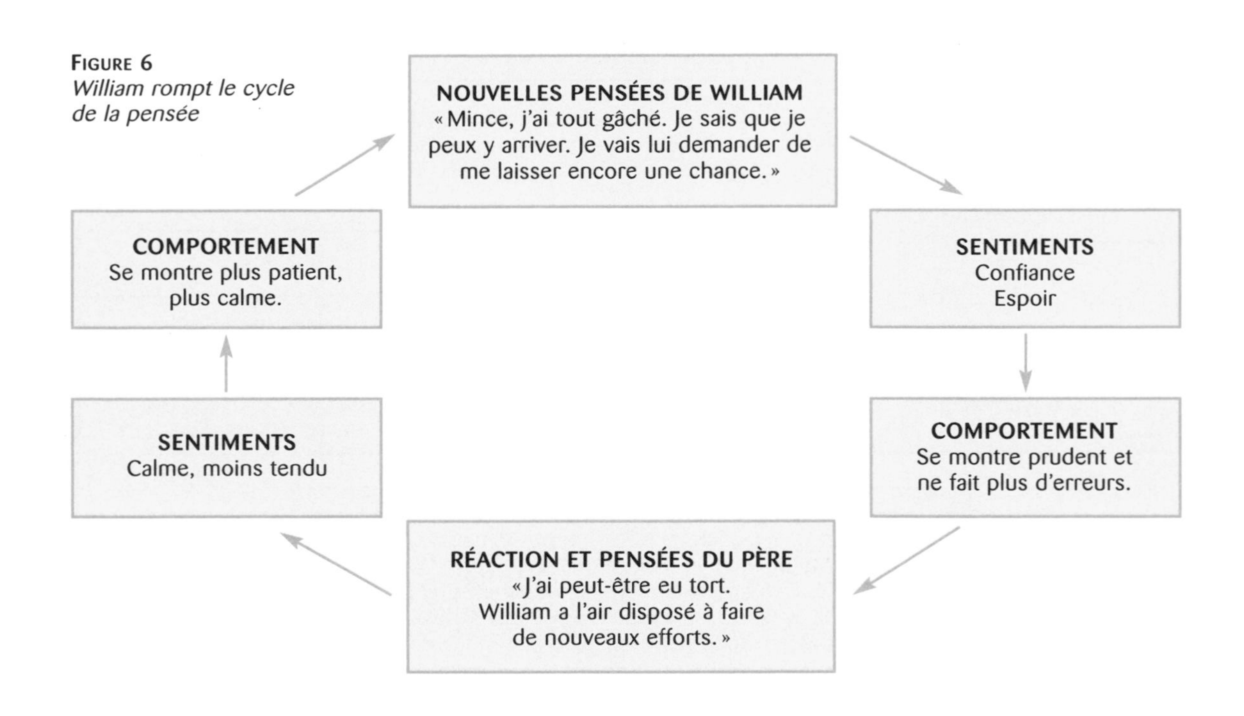

Figure 6
William rompt le cycle de la pensée

EXEMPLE

William sait que son père est contrarié de le voir si maladroit et si empoté. Il peut *choisir* de voir comment ses pensées ont contribué à aggraver le problème. Peut-être pense-t-il : « Mince, j'ai tout gâché. C'est bête. Je sais pourtant que je peux me débrouiller. Il faut simplement que j'explique à papa que j'avais peur, et que ce que je pensais qu'il pensait m'empêchait de réussir. Je vais lui dire que je comprends et lui demander de me donner encore une chance. » Les sentiments de William vont désormais changer. Il a désormais confiance et espoir. Son comportement reflète les nouveaux sentiments qu'il ressent. Par conséquent, son père pense, « J'ai peut-être eu tort. William a l'air disposé à faire de nouveaux efforts. » Puis il se sentira plus détendu, plus calme. Il se montrera donc ensuite plus patient et pourra parler plus calmement. Ce comportement influera directement sur la confiance de William, ce qui déclenchera une spirale positive dans leur relation. On voit ainsi que le problème est né d'une pensée, et que la solution s'est présentée lorsque William a pris la responsabilité de choisir de voir la situation sous un autre angle et de modifier ses pensées vis-à-vis de son père.

On peut aider les élèves à travailler sur des exemples personnels ou plus généraux tirés de situations vécues à l'école ou dans leur environnement immédiat. On pourra employer le « cycle de la pensée dans les conflits interpersonnels » de la figure 7 à cet usage. Si cet exercice doit s'adresser aux élèves des petites classes du primaire, il conviendra de simplifier les consignes.

L'essentiel dans l'exercice qui suit est que les élèves comprennent que s'ils se mettent à la place de la personne avec laquelle ils sont en conflit, il est fort probable qu'ils changent d'avis à propos de la situation et de la personne. Ces pensées différentes sont le point de départ pour remplir la fiche une seconde fois. Il faut rappeler aux élèves que, bien qu'ils ne puissent contrôler ce que l'autre pense, ressent et fait, la simple décision de voir la situation sous un autre angle et de mettre à profit de nouveaux insights à propos de l'autre, permettra de changer et d'améliorer la façon dont on ressent les choses.

Comme pour tous les exercices que nous proposons aux élèves, il importe que vous les fassiez vous-mêmes auparavant. Choisissez une situation conflictuelle qui vous est propre et travaillez au « Cycle de la pensée dans les conflits interpersonnels » en deux étapes, comme décrit plus loin. Vous saurez alors comment la « magie » opère avant d'y inviter vos élèves.

Exercice : le cycle de la pensée dans les conflits interpersonnels

Décrivez une situation de conflit entre vous et une autre personne. Cette personne peut être un ami, un camarade de classe, un

Situation :

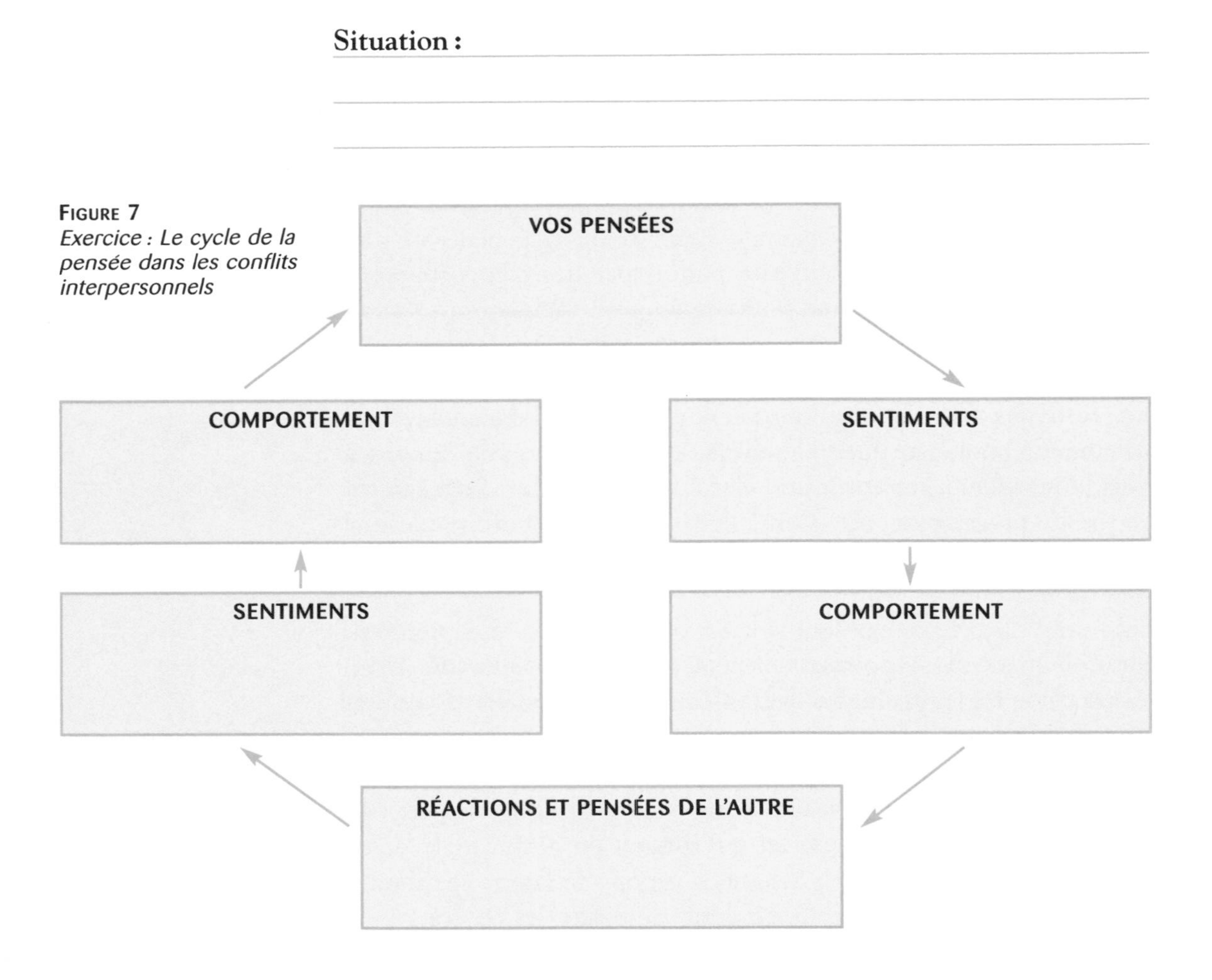

Figure 7
Exercice : Le cycle de la pensée dans les conflits interpersonnels

membre de votre famille, un professeur, etc. Après avoir évoqué la situation, notez vos pensées, vos sentiments et votre comportement, et la façon dont vous pensez que l'autre a réagi (pensées, sentiments et comportement). Faites un effort pour vous identifier à l'autre personne et voir les choses de son point de vue. Après avoir rempli cette fiche, demandez-vous si vous voyez la personne ou la situation différemment. Puis remplissez la même fiche une seconde fois, mais en choisissant de commencer par des pensées qui tiennent compte de vos nouvelles perceptions à propos de cette personne.

Comprendre le sentiment d'insécurité

Arrivés à ce stade, vos élèves devraient commencer à comprendre l'essentiel de leur fonctionnement psychologique et voir qu'ils peuvent maîtriser leurs pensées et leurs sentiments. Ils commencent vraisemblablement à comprendre que les sentiments négatifs qu'ils éprouvent envers eux-mêmes naissent aussi de leurs pensées et que des pensées négatives ou anxieuses assombrissent l'estime naturelle qu'ils peuvent avoir d'eux-mêmes. Leur inquiétude peut prendre diverses formes. Elle se manifeste parfois par des comportements agressifs, d'autres fois par une passivité ou un détachement caractéristiques.

La « Liste des manifestations d'inquiétude » qui suit est un exercice utile pour reconnaître quand les élèves se sentent inquiets ou quand vous, vous-même, ressentez une certaine inquiétude. Cet exercice est tiré du programme « Le droit à l'estime de soi » lancé par Jeffrey P. Timm du Florida Center for Human Development (voir la bibliographie en fin d'objectif n° 2).

Naturellement, il y a diverses manières de mettre toutes ces activités en place en fonction des âges et des besoins des élèves concernés. C'est à vous qu'il appartient de déterminer comment appliquer au mieux les principes et exemples proposés ici. Pour trouver quelques idées d'application des outils que nous avons évoqués jusqu'à présent, essayez les exercices qui suivent.

Check-list des manifestations d'insécurité

Tout le monde peut éprouver des sentiments d'inquiétude ou d'anxiété à un moment ou à un autre. Parcourez la liste ci-dessous et regardez si vous pouvez vous identifier à une ou plusieurs de ces rubriques. Cochez les cases correspondant à des comportements qui s'appliquent ou ont pu s'appliquer à vous. Surtout, pas de retenue ou d'inquiétude ! Rien ne vous oblige à montrer cette fiche à quiconque !

- ❑ Muet (te)
- ❑ Timide
- ❑ « Intello » asocial
- ❑ Grande gueule
- ❑ Gros dur
- ❑ Monsieur/Mademoiselle Je-sais-tout
- ❑ Un(e) vrai(e) petit(e) saint(e)
- ❑ Jamais content(e)
- ❑ Élément perturbateur
- ❑ « C'est trop facile pour moi »
- ❑ « C'est pas de ma faute »
- ❑ Pleurnichard(e)
- ❑ Tête en l'air
- ❑ Mauviette (poule mouillée)
- ❑ « Je fais acte de présence, mais je n'ai pas l'intention de faire quoi que ce soit »
- ❑ « Je suis prêt(e) à faire tout ce que vous voulez pourvu que vous m'aimiez »
- ❑ « Si je n'ai pas 20 sur 20, je me tue »

ACTIVITÉS AUTODIRIGÉES

Question 1

Comment feriez-vous pour expliquer à vos élèves « le Cycle de la pensée » ? Incluez à votre projet des exemples de situations qui leur déplaisent ou qui mettent des conflits en évidence.

Question 2

Élaborez le plan d'un débat qui aura lieu en classe et devra aider les élèves à comprendre le principe des réalités divergentes.

AIDER LES ÉLÈVES À ACCORDER DE LA VALEUR À CE QU'ILS SONT ET À CE QU'ILS FONT

La deuxième stratégie essentielle que les enseignants peuvent mettre en oeuvre pour aider individuellement les élèves à accroître leur automotivation et leur autodéveloppement, consiste à leur apprendre à accorder de la valeur à leur processus d'apprentissage, aux activités spécifiques qu'on leur donne à faire et surtout, à ce qu'ils sont eux-mêmes. La compréhension de leurs propres processus mentaux peut contribuer à leur faire découvrir leur valeur inhérente et la motivation naturelle d'apprendre qui les anime. Au-delà de cette première mesure fondamentale, il importe que les enseignants apprennent à connaître chacun de leurs élèves personnellement, tout en les aidant collectivement à définir les intérêts et les objectifs qu'ils souhaitent poursuivre.

Nous vous proposons ci-après une liste de moyens précis pour y parvenir. Ces stratégies peuvent vous aider à en savoir davantage sur chacun de vos élèves et à rendre les activités d'apprentissage plus significatives et plus positives pour eux. Après avoir abordé les diverses stratégies possibles, nous poursuivrons avec une série d'exemples d'activités.

Stratégies conçues pour répondre aux besoins d'apprentissage individuels

Diagnostiquer les besoins, intérêts et objectifs personnels des élèves

Questionnaires et entretiens individuels sont de bons moyens de connaître les besoins, les intérêts et objectifs de chaque élève. Les renseignements ainsi recueillis s'ajouteront à ceux fournis par le dossier scolaire et compléteront les observations du comportement et du travail de l'élève effectuées en classe.

Nous donnons plus loin quelques exemples de questionnaires destinés à mieux connaître les intérêts des élèves. Vous pourrez les utiliser tels quels ou les modifier à votre guise.

Aider les élèves à définir leurs objectifs personnels et à les relier à des objectifs d'apprentissage

Apprendre à se fixer un objectif est un processus qui s'apparente à la résolution de problème et s'enseigne efficacement sans difficulté. On peut l'enseigner aux élèves individuellement, en groupes, ou à toute la classe réunie.

Non seulement le choix d'un objectif aide les élèves à mieux définir ce qui compte le plus pour eux, mais il les aide aussi à apprendre à apprécier des activités qui servent cet objectif. En outre, les élèves y acquièrent des compétences annexes en matière de prise de décision, d'évaluation des risques et des avantages, et des progrès accomplis.

Relier les objectifs d'apprentissage d'intérêt général aux intérêts et objectifs individuels

Ce domaine précis vous offre toutes vos chances de mettre votre imagination pédagogique au pouvoir ! Une fois que vous connaissez bien vos élèves, individuellement et en groupe, vous et vous seul êtes dans la meilleure position qui soit pour voir comment les objectifs d'apprentissage généraux appropriés au niveau de votre classe ou à votre matière, pourraient être reliés aux objectifs et intérêts des élèves. Une idée qui fonctionne généralement bien consiste à impliquer les élèves eux-mêmes dans la recherche de cet équilibre. Le fait de leur laisser l'initiative de projets d'intérêt général peut aider les élèves à associer leurs intérêts aux objectifs d'apprentissage concernés et doit aussi les responsabiliser face à leur propre apprentissage. Par contre, il se peut qu'ils aient besoin d'un entraînement spécifique pour parvenir à établir ces liens entre intérêts et objectifs personnels d'une part, et contenus et activités d'apprentissage d'autre part.

Structurer objectifs et activités d'apprentissage pour favoriser la réussite individuelle des élèves

Les travaux de Carol Dweck et de ses collègues ont mis à jour une découverte d'importance : les schémas variables de convictions qui contribuent à une motivation accrue d'apprendre incluent le fait de se fixer des objectifs d'apprentissage plutôt que des objectifs de performance. Cela signifie que si les élèves peuvent être encouragés à se fixer des objectifs correspondant à ce qu'ils veulent apprendre ou accomplir personnellement, ils seront plus motivés et réussiront mieux que si leur objectif primordial est de montrer qu'ils peuvent faire mieux que leurs camarades. Quand les élèves sont incités à ne s'engager dans une compétition qu'avec eux-mêmes et à concentrer leurs efforts sur des objectifs d'apprentissage plutôt que de performance, on constate que leur motivation et leurs résultats sont nettement meilleurs.

Des stratégies comme l'apprentissage coopératif, où les élèves travaillent ensemble pour atteindre les mêmes objectifs, constituent d'excellents moyens d'aider les élèves à se concentrer sur leur propre apprentissage.

Une autre mesure intéressante pour les aider à atteindre leurs objectifs personnels et réussir, est l'individualisation des objectifs et activités d'apprentissage qu'il s'agit de faire correspondre aux capacités particulières de chaque élève en tenant compte de ses objectifs et intérêts. Ce processus d'adéquation permet idéalement à chacun de démontrer ses compétences et d'apprendre avec succès.

Faire de soi un modèle pour montrer aux élèves la valeur et les avantages de posséder des talents spécifiques

Dans la vie, nos modèles sont parfois nos meilleurs professeurs. C'est souvent en observant les autres que nous apprenons. Lorsque vous montrez en classe un grand enthousiasme vis-à-vis de tel ou tel sujet, il est clair que ce sujet n'est pas anodin et présente de l'intérêt. De même, lorsque vous montrez de grandes compétences dans certains domaines, la valeur de ce que vous accomplissez est évidente. Vous pouvez aussi par vos actes montrer aux élèves la valeur et l'intérêt du processus d'apprentissage lui-même, celui-ci étant lié à l'accomplissement d'objectifs personnels et à la valorisation des tâches d'apprentissage spécifiques qui s'y rattachent. Nous avons tous eu la chance un jour de suivre les cours d'un enseignant qui aimait sa matière et ses élèves. C'est lui qui nous a appris plus que tous les autres. C'est peut-être même lui ou elle qui nous a fait aimer les maths alors que, nous croyant mauvais, nous les détestions.

Une part essentielle de votre rôle consistera donc à servir de modèle en montrant que vous savez contrôler vos pensées et vos humeurs, définir et fixer des objectifs d'apprentissage, structurer des activités pour atteindre ces buts, et devenir expert dans le domaine de compétence choisi.

Mais voyons sans plus attendre de quels outils et activités spécifiques nous disposons pour aider les élèves à accorder de la valeur à ce qu'ils font et ce qu'ils sont.

Propositions d'activités

Identifier les intérêts et les objectifs des élèves

Pour inciter les élèves à s'accorder de la valeur, il vous faut d'abord repérer leurs besoins individuels, leurs centres d'intérêts et les objectifs qui leur tiennent à coeur. Vous devez aussi les aider à analyser eux-mêmes ce qui les intéresse et les motive, pour qu'ils puissent acquérir de meilleurs processus métacognitifs en ce qui concerne leur conscience et compréhension d'eux-mêmes, l'autocontrôle de leurs performances et leurs capacités d'autogestion.

Un repérage des centres d'intérêt de vos élèves vous aidera à mieux connaître les goûts et les moteurs de chacun et vous permettra de les assister dans leurs démarches d'auto-évaluation. L'utilité de ces renseignements se démontrera lors d'activités individuelles ou en groupes, notamment si les élèves ont confiance en vous et comprennent pourquoi vous leur posez toutes ces questions. Ces repérages peuvent se prolonger par des conversations individuelles ou des entretiens informels qui constitueront un excellent moyen d'établir un rapport entre vous si les élèves sentent que votre intérêt, votre respect et votre bienveillance sont sincères.

Exemple

Mme Parker enseigne en CM1 dans une école de banlieue. La fin août approche et elle se prépare pour la rentrée et la prise en charge de 28 nouveaux élèves.

« Je me demande à quoi ils vont s'intéresser cette année, et quels vont être leurs points forts. » se dit-elle. « Il faut que je trouve un moyen amusant d'apprendre à connaître cette nouvelle fournée. »

Elle a trouvé un bon questionnaire sur les centres d'intérêt des élèves, mais elle veut s'assurer que les élèves ne se sentent pas menacés d'avoir à le remplir. Pour le jour de la rentrée, elle prévoit donc des activités amusantes pour « rompre la glace », qui permettront à chacun de se présenter aux autres et de dire quelque chose de personnel sur lui-même, « quelque chose qu'il voudrait faire savoir à tout le monde ». Cette activité se poursuivra par un jeu de mémorisation, des prix à gagner et quelques surprises. Quand chacun sera bien détendu, Mme Parker dira aux élèves qu'elle aimerait bien faire plus ample connaissance avec eux pour s'assurer que les activités qu'elle leur propose tout au long de l'année les intéressent et leur plaisent.

Elle demandera l'accord de la classe, et, en supposant qu'elle l'obtienne, elle distribuera un questionnaire. Elle précisera qu'ils ne doivent donner que les renseignements qu'ils souhaitent, sans contrainte. Mme Parker réfléchit ensuite à la façon de poursuivre sous la forme d'entretiens privés et individuels.

Ceci n'est qu'un exemple d'utilisation possible des questionnaires sur les intérêts des élèves. Vous pouvez adapter vos enquêtes aux besoins de votre classe et vous aurez certainement des modifications à apporter aux échantillons qui suivent.* Ce qui compte, c'est que vous vous sentiez à l'aise avec les activités que vous choisissez pour mieux connaître votre classe. Dans cette optique, nous vous recommandons de jouer vous-même à l'élève et de remplir ces questionnaires avant de les soumettre à vos élèves. Ceci nous paraît un bon moyen de vérifier que le niveau et la langue utilisée dans les questions correspondent bien à votre classe.

* Les enquêtes des pages suivantes sont reproduites avec la permission de Whistler, J. S., & McCombs, B. L. (1992). *A middle school self-development advisement program.* Aurora, CO : Midcontinent Regional Educational Laboratory.

ENQUÊTE SUR LES CENTRES D'INTÉRÊT DES ÉLÈVES

Ce que je fais pour mon plaisir

Nom : ____________________

Complète chaque phrase par la première pensée qui te vient à l'esprit. Tes réponses peuvent être une phrase affirmative ou négative.

1. Mes loisirs sont

2. Le genre de choses que j'aime faire avec les autres, c'est

3. Pour m'amuser, je

4. Pour me détendre, je

5. Pour me changer les idées, je

6. Je me sens bien quand

7. Le cadeau que je préférerais recevoir, c'est

8. Si j'avais 20 F à dépenser, je

9. Si j'avais 100 F à dépenser, je

10. Si j'avais 300 F à dépenser, je

11. Toutes les semaines, j'achète

12. Parmi toutes les choses que je fais tous les jours, je détesterais devoir abandonner

ENQUÊTE SUR LES CENTRES D'INTÉRÊT DES ÉLÈVES

Mon portrait tout craché

Nom ______________________________

Ces phrases à compléter vous permettent de laisser libre cours à votre spontanéité. Écrivez la première chose qui vous vient à l'esprit.

1. Ce qui me rend le plus heureux, c'est

____

____

2. Ma première qualité c'est

____

____

3. Mon pire défaut, c'est

____

____

4. Mon, ma ______________ préféré(e), c'est

____

____

5. Mon souhait le plus cher serait de

____

____

6. Je me mets en colère quand

____

____

7. J'ai toujours dans l'idée que

8. Je n'ai jamais dit à personne que

9. Je me sens quelqu'un quand

10. Je n'aime pas

11. Habituellement, j'arrive à mes fins lorsque

12. Ce qui m'intéresse le plus, c'est

13. Je suis

14. Si j'étais président, je commencerais par

15. La question que je me pose à propos de la vie, c'est

ENQUÊTE SUR LES CENTRES D'INTÉRÊT DES ÉLÈVES

Les talents et les compétences que j'aimerais avoir

Nom ______________________________

Imagine que quelqu'un ait découvert le moyen de te faire acquérir de nouveaux talents et de nouvelles compétences, ou d'améliorer celles que tu possèdes déjà. Imagine que tu sois désormais excellent dans ces domaines. Réfléchis un moment et imagine l'effet que ça te ferait d'être le meilleur en tout ce que tu veux. Quels sont les 10 compétences ou talents particuliers que tu choisirais de développer ou d'améliorer si aucune limite ne t'était imposée ?

1. ______________________________

2. ______________________________

3. ______________________________

4. ______________________________

5. ______________________________

6. ______________________________

7. ______________________________

8. ______________________________

9. ______________________________

10. ______________________________

Pense maintenant à quelqu'un que tu admires, vivant ou non, célèbre ou non, et qui est vraiment bon dans un des domaines que tu viens de citer. Inscris le nom de cette personne accompagné du talent particulier qui la caractérise. Puis explique ce que tu admires chez cette personne.

1. La personne que j'admire, c'est

____

2. Son talent particulier, c'est

____

3. Ce que j'admire le plus chez cette personne, c'est

____

ENQUÊTE SUR LES CENTRES D'INTÉRÊT DES ÉLÈVES

L'histoire de ma vie

Nom ______________________________

Souvent, les choses auxquelles nous pensons et les buts que nous nous fixons se réalisent. C'est parce que nous rêvons de ces choses et que nous les imaginons en train de se produire. Écris l'histoire « rêvée » de la vie que tu aimerais avoir.

1. Je suis né(e) en (année), à (lieu).

2. Enfant, déjà, j'aimais vraiment
et aussi

3. Je voulais être le meilleur en

4. Adolescent, j'aimais
et aussi

5. À l'école, mes matières préférées étaient
et

6. Quand les autres essayaient de me faire faire des choses qui ne me plaisaient pas,

7. Je me voyais comme quelqu'un de

8. Les autres me voyaient comme quelqu'un qui

9. Arrivé(e) au terme de mes études secondaires, j'ai décidé de parce que

10. Quand j'avais 20 ans, je

11. Quand j'avais 30 ans, je

12. En réalité, je suis devenu quelqu'un qui

13. Les choses les plus importantes que j'ai accomplies furent

14. Les gens qui comptaient le plus pour moi étaient

15. La différence entre ce que je suis maintenant et ce que j'ai été, c'est

Aider les élèves à se fixer des objectifs

Une fois que vous et vos élèves en saurez davantage sur ce qui les intéresse et les motive, le moment sera venu de discuter avec eux de la meilleure façon d'atteindre ces objectifs. Parvenir à ses fins n'est pas l'apanage de quelques privilégiés. Tout le monde peut y arriver. Déterminer un objectif n'est qu'un simple procédé de planification qui peut s'apprendre, et les élèves doivent en saisir l'importance car cette démarche leur fournira une stratégie pour réaliser leurs rêves et poursuivre leurs idéaux. C'est en se fixant des objectifs et en les atteignant que les gens parviennent à échapper à une existence sans but, sans objet, et donc à tirer le meilleur parti possible de leur existence.

Ce que les élèves doivent bien comprendre également, c'est que la détermination d'objectifs crée une attente positive et montre que les individus exercent un contrôle sur leur existence. Avoir un objectif aide les élèves à contrôler la direction dans laquelle ils souhaitent aller. C'est en apprenant à se fixer un but et à tout mettre en oeuvre pour l'atteindre, que les élèves comprennent le pouvoir de décision dont ils jouissent sur leurs actes et leurs projets. Ils découvrent que ce ne sont pas les autres qui doivent décider à leur place. Donner aux élèves des occasions de se choisir des objectifs et de prévoir des activités, des événements ou tout autre aspect de leur vie scolaire, c'est les aider à apprendre ce qu'est la responsabilité, à comprendre comment opère leur contrôle actif et à devenir des individus plus autonomes et plus équilibrés.

Le processus de détermination d'un objectif est une opération simple qui se déroule en plusieurs étapes :

- Définissez clairement votre objectif ;
- Faites une liste des étapes à franchir pour y parvenir ;
- Envisagez les problèmes qui peuvent survenir en cours de route ;
- Pensez à la façon de résoudre ces problèmes ;
- Établissez un calendrier des étapes à franchir jusqu'au bout ;
- Évaluez vos progrès ;
- Accordez-vous une récompense pour le travail accompli.

Au départ, la familiarisation avec ce processus peut faire l'objet d'un travail avec toute la classe. Une fois que les élèves ont bien compris le procédé, ils peuvent l'appliquer à leurs objectifs propres. Pour les y aider, faites leur choisir un domaine (ex : maison, école, amis, loisirs), puis donnez leur l'astuce mnémotechnique suivante :

Ton objectif doit être :
Accessible (raisonnable vu ton âge et tes capacités)
Bien conçu (clairement établi et mesurable)
Crédible (tu dois y croire et sentir que tu peux réussir)
Désirable (tu le veux et les autres veulent que tu réussisses)

Les élèves peuvent commencer par mettre cet **A B C D** à profit pour évaluer leurs objectifs personnels ; ils l'utiliseront ensuite pour leurs objectifs scolaires.

ACTIVITÉS AUTODIRIGÉES

Question 1

Quel plan mettriez-vous en oeuvre pour apprendre à connaître vos élèves ?

Question 2

Choisissez un des échantillons d'enquête sur les centres d'intérêt des élèves et expliquez comment vous la modifieriez pour vos élèves.

Question 3

Créez une activité de classe destinée à apprendre aux élèves à se fixer des objectifs.

Relier intérêts et objectifs à l'apprentissage

Après avoir aidé les élèves à identifier leurs intérêts et leurs objectifs individuels, vous êtes désormais en meilleure position pour introduire la stratégie motivationnelle qui consiste à les aider à reconnaître la valeur du processus d'apprentissage lui-même et des activités spécifiques qui s'y rattachent.

Pour y parvenir, vous devrez maîtriser a) des stratégies pour connecter les objectifs généraux d'apprentissage aux intérêts et objectifs personnels des élèves et b) des stratégies pour structurer les objectifs et activités d'apprentissage afin que chaque élève puisse atteindre son but et éprouver le sentiment de réussir.

Une relation élève-enseignant de qualité est une relation dans laquelle chaque partenaire s'intéresse au domaine d'expertise de l'autre. L'élève est celui qui en sait le plus long sur ses intérêts et ses objectifs. L'enseignant est celui qui a une idée claire des contenus pédagogiques, qui sait définir les composantes fondamentales d'un apprentissage ou les compétences qu'il convient de développer dans un projet éducatif donné. L'enseignant est aussi le plus expérimenté lorsqu'il s'agit d'aider les élèves à développer des projets qui tiennent compte d'intérêts spécifiques tout en répondant à des objectifs pédagogiques communs. La figure 8 donne un exemple de ces domaines d'expertise sous forme de graphique.

FIGURE 8
Relation entre les centres d'intérêt et les objectifs de l'élève, et la connaissance par l'enseignant des contenus pédagogiques à aborder.

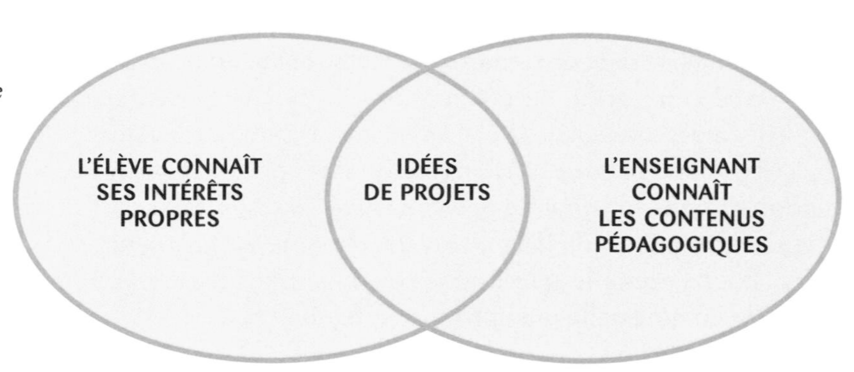

Recoupement des domaines d'expertise de l'élève et de l'enseignant

EXEMPLE

En réponse à une enquête sur ses intérêts, un élève de 5e a pu en identifier plusieurs : la musique, les filles et le skate-board. En maths, en ce moment, on aborde les fractions. Le point-clé de cet objectif d'apprentissage est la notion d'échelle et de proportion. À la fin de ce chapitre, les élèves doivent être capables d'utiliser les fractions et leur compréhension de la notion de proportion pour résoudre des problèmes comme le calcul de la taille d'un modèle réduit par rapport à l'objet réel. La résolution de ce problème passe par la maîtrise des 4 opérations. Votre défi en tant qu'enseignant consiste à trouver le moyen de relier les intérêts de cet élève à vos impératifs pédagogiques. Si vous connaissez les intérêts de tous les élèves de la classe, vous pourrez trouver un moyen de les regrouper par centres d'intérêt pour leur faire résoudre des problèmes de maths.

Pour relier les intérêts et objectifs des élèves aux objectifs pédagogiques de la classe, on pourra utiliser une grille de préparation. Cette démarche constituera un premier pas dans l'identification d'un projet éducatif pour l'élève qui soit un élément d'automotivation et rejoigne en même temps les objectifs pédagogiques de l'enseignant. Bien que cette approche de la conception des cours puisse sembler une perte de temps au détriment de l'élaboration même du projet, on comprendra que le meilleur moment pour prendre les décisions cruciales pour le projet est bien le stade de la planification. Avec cette grille de préparation, il est relativement aisé de voir s'il y a des zones de corrélation entre les intérêts déclarés et les objectifs d'apprentissage. Si la grille ne fait apparaître aucune corrélation, on pourra affiner le questionnaire sur les intérêts des élèves et le réécrire pour qu'il donne davantage de renseignements pertinents. Pour l'exemple que nous évoquons, nous pourrons utiliser une grille comme celle qui apparaît en figure 9.

Vues de cette façon, de nombreuses corrélations deviennent évidentes. Néanmoins, pourquoi ne pas fixer des objectifs pédagogiques qui combinent l'intérêt pour le skate-board avec la capacité à résoudre des problèmes de réduction d'objets à la taille de modèles, ou la capacité de base qui consiste à savoir multiplier des fractions ?

C'est grâce à une négociation que l'élève et l'enseignant parviendront à déterminer que le projet individuel consistera à concevoir puis fabriquer un modèle réduit de skate-board réalisé au 10e. Une fois le projet défini, sa mise en oeuvre pourra prendre diverses formes.

FIGURE 9
Grille d'élaboration de projet établissant un lien entre les intérêts des élèves et les objectifs pédagogiques

	GRILLE D'ÉLABORATION DE PROJET Objectif d'apprentissage : notion d'échelle et de proportion					
	RÉSOLUTION DU PROBLÈME		CAPACITÉS DE BASE INTERVENANT DANS LES FRACTIONS			
	Taille du modèle	Taille normale	Additionner	Soustraire	Multiplier	Diviser
Musique						
Filles						
Skate-board	X				X	

Si l'enseignant reconnaît que c'est le résultat final ou le projet final qui permet réellement de mesurer si l'élève a acquis ou non les compétences de base, il peut choisir d'autoriser les élèves à poursuivre et à passer aux schémas de construction de l'objet en question. Si les croquis de l'élève prouvent qu'il maîtrise déjà la multiplication de fractions dans des applications comme la résolution du problème cité, on peut alors l'autoriser à passer directement à la phase de construction de l'objet. Si l'élève éprouve des difficultés dès la phase du croquis initial, l'enseignant peut alors intervenir et lui donner les renseignements nécessaires à la maîtrise des compétences appropriées.

Ceci n'implique pas que l'enseignant doive consacrer son temps à enseigner les compétences de base à chaque élève individuellement. Un planning bien étudié devrait permettre à tous les élèves de prendre part simultanément au processus d'élaboration de la grille centres d'intérêts-objectifs pédagogiques. Pour trouver des idées de projets on peut avoir recours à des séances de brainstorming en groupes, chaque élève proposant et recevant des suggestions sur les sujets envisageables. La plage horaire consacrée à l'acquisition des compétences de base en matière de fractions serait commune à tous les élèves, mais ne concernerait que ceux qui auraient réellement besoin d'un cours supplémentaire dans ce domaine.

Bien que les avantages de ce procédé soient nombreux, l'atout majeur est que l'élève s'intéresse davantage au processus d'apprentissage et aux activités spécifiques qui s'y rattachent. Pourquoi ? Parce que le projet revêt désormais une signification personnelle pour lui et que l'enseignant lui a montré qu'il respectait et accordait de la valeur à ses besoins et ses intérêts individuels.

ACTIVITÉS AUTODIRIGÉES

Question 1

Partant de l'intérêt des élèves pour le skate-board, trouvez une corrélation avec divers objectifs pédagogiques essentiels, puis proposez un projet de classe approprié.

Question 2

À l'aide de la grille donnée en exemple, trouvez une corrélation autre que celle qui existe avec le skate-board. Proposez un projet de classe.

Question 3

En gardant cette grille à l'esprit, pensez à un de vos élèves dont vous connaissez bien les intérêts. Reliez ces intérêts à une série d'objectifs pédagogiques propres à votre domaine, et décrivez comment vous développeriez un projet adapté à l'élève en question.

Le recours à la modélisation permettra de démontrer l'intérêt d'apprendre

Enfin, comme nous l'avons vu dans le chapitre précédent, les meilleurs enseignants sont de bons modèles. Les élèves apprennent en regardant les autres et particulièrement leurs professeurs. Il existe de nombreuses façons d'être un bon modèle. Pour cela, il vous faudra montrer :

- de l'enthousiasme à propos de votre matière ;
- des compétences dans des domaines divers ;
- la valeur des résultats obtenus par le travail ;
- la responsabilité personnelle qu'implique un apprentissage ;
- l'intérêt du processus d'apprentissage ;
- du respect et une considération authentiques pour les autres ;
- l'importance de la prise de risques.

Voyons à ce propos un ou deux exemples de la manière dont ces valeurs et ces qualités peuvent être modélisées en classe par les enseignants.

EXEMPLE 1

M. Raines aime les sciences, et il aime les enfants. Son objectif est de susciter chez les élèves un intérêt pour la résolution de problèmes par des méthodes exclusivement scientifiques. Dans sa classe de CE1, la plupart des élèves sont curieux de savoir des choses et l'interrogent beaucoup. À chaque fois qu'ils posent une question, il « devient un scientifique ». Comme un acteur sur scène, il joue son rôle. Il enfile sa blouse blanche, adopte un air docte mais enthousiaste, et procède à l'élucidation de la question de l'élève en suivant une démarche proprement scientifique. Il lui arrive de demander à l'élève qui a posé la question, à toute la classe ou à des petits groupes d'élèves, de faire comme s'ils étaient de vrais scientifiques et de chercher le plus scientifiquement possible les réponses à leurs questions. Ses cours amusent les élèves, les intéressent et les inspirent. Tous ses élèves le trouvent formidable. Un grand nombre d'entre eux ont choisi plus tard une carrière dans les sciences.

Exemple 2

Mme Vernon enseigne en collège, en 4e. Elle aime apprendre et passe son temps à lire dans des domaines très variés comme l'histoire, la littérature, la psychologie et l'actualité internationale. Elle lit des romans mais aussi toutes sortes d'ouvrages. Son goût d'apprendre lui a ouvert de nombreuses portes dans la vie. Bien qu'elle ne puisse se permettre beaucoup de voyages à travers le monde, tout ce qu'elle a pu lire lui a fait parcourir le monde par l'esprit. Ses élèves de sciences humaines ont de la chance. Elle a trouvé toutes sortes de moyens pour animer sa classe et rendre les sujets du programme plus vivants. Elle apporte ses livres en classe pour faire profiter les élèves de ses lectures et de ses découvertes ; elle sait combien ces apports de documents extérieurs enrichissent un cours ; son enthousiasme est contagieux. Elle encourage les élèves à apporter eux aussi des choses qu'ils ont lues, qui les ont intéressés personnellement et pourraient compléter les sujets en cours d'étude. Elle récompense leurs bons résultats en classe mais aussi leurs lectures parallèles en rapport avec le cours. Les élèves quittent sa classe avec des connaissances qui dépassent largement le cadre des sciences humaines et accordent de la valeur à ce qu'ils ont appris en classe mais aussi à l'extérieur. Ils ont découvert ce que signifie accorder de la valeur au processus d'apprentissage.

En résumé

Les stratégies présentées dans l'objectif 3 mettent l'accent sur ce que vous pouvez faire pour aider les élèves à découvrir leur motivation naturelle d'apprendre et se développer de manière positive, en dépit des expériences négatives que la vie leur aura fait connaître et de l'image négative d'eux-mêmes et de leur potentiel d'apprentissage qu'ils se sont forgée en cours de route. Si vous aidez les élèves à comprendre comment leurs propres pensées influent sur leurs sentiments et leur motivation, et si vous leur donnez des occasions de personnaliser leur apprentissage, vous commencerez à voir émerger leur motivation naturelle.

Les activités et les stratégies suggérées ici sont conçues pour vous aider à trouver de nouvelles façons d'aborder les élèves qui semblent avoir perdu leur motivation d'apprendre. Ces méthodes impliquent que vous aidiez les élèves à comprendre *qui* ils sont et *comment* leur pensée fonctionne. Elles doivent aussi revaloriser chez les élèves leur conception de l'apprentissage en les persuadant qu'il n'est pas sans liens avec leurs objectifs et leurs centres d'intérêt.

ACTIVITÉS AUTODIRIGÉES

Question 1

Faites une liste des domaines où vous voudriez servir de modèle aux élèves.

Question 2

De quelle façon faites-vous actuellement office de modèle dans ces domaines précis ?

Question 3

Inscrivez tout changement que vous souhaitez opérer dans votre façon d'incarner les compétences mentionnées en réponse à la question 1.

Objectif

4

Créer un climat motivant pour les élèves

- Créer des occasions de développement et de choix personnels
- Encourager la prise de risques en classe
- Créer un climat d'apprentissage positif
- En résumé

Nous consacrerons ce chapitre aux stratégies pédagogiques qui engendrent un climat motivationnel propice à l'apprentissage. Il existe trois manières significatives de procéder et les pages qui suivent seront consacrées à l'examen de chacune d'entre elles. Premièrement, vous pouvez donner aux élèves l'occasion de faire preuve d'autodétermination en sollicitant leurs tendances naturelles à apprendre, mûrir et assumer la responsabilité de leur propre apprentissage. Deuxièmement, vous pouvez les encourager à prendre des risques scolaires. Ceci contribue à compenser les conséquences éventuellement négatives de la vie scolaire comme l'ennui, la peur d'échouer et le désinvestissement. Enfin, vous pouvez établir un climat positif d'encouragement et de soutien social qui permette à chacun de se sentir véritablement apprécié et respecté.

CRÉER DES OCCASIONS DE DÉVELOPPEMENT ET DE CHOIX PERSONNELS

Le rôle essentiel de l'enseignant est de motiver. Il doit par conséquent créer des occasions qui éveilleront chez les élèves leurs tendances naturelles à apprendre, mûrir et assumer la responsabilité de leur apprentissage. Ceci peut paraître simple mais les stratégies requises ne sont pas toujours faciles à mettre en place. La difficulté consiste, en réalité, à structurer son approche pédagogique pour encourager les élèves à faire des choix.

Amener les élèves à l'autodétermination implique que vous preniez des risques ; vous devrez être préparé à reconsidérer toute conception ancienne ou traditionnelle du contrôle de l'enseignant sur les élèves. Permettre aux élèves une certaine autodétermination ne signifie pas que tout est permis. Cela signifie plutôt que les élèves bénéficient d'une marge de manoeuvre certaine mais que c'est vous qui leur fournissez les occasions de construire leur propre apprentissage. Maintenant que vous savez à quel point il est important pour les élèves de contrôler ce qu'ils font, de pouvoir exercer leur autodétermination et assumer la responsabilité de plus en plus lourde de leur apprentissage, vous n'éprouverez aucune difficulté à reconsidérer vos anciennes positions en la matière.

L'enseignant « facilitateur » plutôt que « source de savoir »

La vision traditionnelle de l'élève considéré comme récepteur passif d'une somme de connaissances, et celle de l'enseignant comme source essentielle de connaissances sont des conceptions dépassées. Les enseignants se voient désormais davantage comme une *ressource* permettant aux élèves d'accéder au savoir, et comme un *guide* chargé d'aider les élèves à maîtriser des outils de gestion de données appropriés.

Votre capacité à faciliter l'apprentissage autodirigé va désormais compter davantage ; on perçoit mieux maintenant comment ce concept des enseignants et des élèves élargissant mutuellement leurs possibilités, apprenant ensemble et prenant des risques ensemble peut faire exploser le cadre de la classe traditionnelle.

L'enseignant « concepteur de contenus »

Comme la définition d'objectifs personnels invite les élèves à s'autodiriger, vous serez de plus en plus confronté à la nécessité de choisir des sujets qui soient pertinents pour les élèves pris individuellement et fidèles également à un contenu et un niveau de performance convenus auparavant avec la classe. Il est probable que le traditionnel recours à un manuel scolaire pour définir les sujets à traiter, n'offre pas le degré de diversité requis et ne permette pas un choix de sujets ayant une résonance personnelle adaptée a chaque élève. Une fois que vous aurez défini un sujet avec chacun de vos élèves, il faudra prêter attention au plan d'action que chacun suivra pour mener à bien son projet et en transmettre le contenu, à vous et à la classe. Divers contextes de travail devront être proposés afin que les élèves puissent faire face aux exigences et aux caractéristiques des sujets qu'ils ont choisis. Ils devront pouvoir s'isoler pour travailler seuls ou s'associer à un groupe de travail coopératif.

L'élève « expert » dans son propre domaine

Mieux les élèves assument la responsabilité de définir eux-mêmes leurs objectifs éducatifs et plus ils s'impliquent activement dans des activités d'apprentissage personnalisées, plus leur motivation interne domine et plus ils sont incités à devenir experts dans le domaine d'étude qu'ils ont choisi. Il vous faudra dans ce cas faire face à un nouveau risque : celui d'accepter que vos élèves en sachent davantage que vous sur certains sujets. Ceci vous donnera l'occasion d'assumer un rôle d'apprenant et de montrer aux élèves à quel point la mise en commun des compétences peut être enrichissante. C'est ainsi que vous pourrez améliorer ensemble vos compétences relationnelles de manière positive et constructive.

L'élève « transmetteur de connaissances »

Toute la classe bénéficie du travail autodirigé accompli individuellement. Armés des techniques nécessaires, les élèves peuvent faire profiter toute la classe de leurs découvertes. Ce faisant, ils comprendront que passer de l'autre côté de votre bureau n'est pas aussi aisé qu'ils l'imaginaient. Pour que cette expérience s'avère fructueuse et enrichissante, vous devrez aider les élèves à mettre au point des méthodes efficaces de communication, valables en classe comme ailleurs. Sachant que les écoles mettent de plus en plus l'accent sur les débouchés immédiats de l'apprentissage, comme, par exemple, la contribution des élèves à la vie communautaire, vous bénéficierez de multiples occasions d'aider les élèves à devenir de bons communicateurs sachant exposer leurs travaux à leur famille et à leur entourage.

Comment placer les élèves aux commandes de leur apprentissage et de leur développement

Comme nous l'avons vu, les enseignants doivent accepter leur rôle de facilitateur, de concepteur de contenus et de modèle expert apte à faire partager ses découvertes. L'environnement éducatif devrait donner aux élèves la responsabilité de leurs propres projets d'apprentissage. On sait bien désormais qu'ils ne parviennent à l'autodirection et l'automotivation que lorsqu'ils acquièrent le contrôle personnel de leur éducation. Ceci implique, pour l'essentiel, que l'élève devra assumer lui-même la responsabilité de rechercher les informations.

Mettre les élèves aux commandes de leur apprentissage permet d'éviter deux problèmes liés à l'approche traditionnelle qui place l'enseignant comme seul responsable de la transmission des contenus. Premièrement, cette méthode permet d'éviter le niveau d'apprentissage insuffisant qui caractérise les situations où les élèves n'ont qu'une responsabilité limitée dans le développement des compétences requises pour rechercher et traiter les informations utiles. Deuxièmement, et plus important, cette méthode permet de supprimer le message implicitement lié à l'approche centrée sur l'enseignant, selon lequel c'est l'enseignant qui détient les connaissances voulues sur un sujet donné. Ce n'est pas ainsi que les choses fonctionnent dans la vraie vie.

En réalité, si l'on a besoin d'informations pour accomplir un travail, on a souvent recours à diverses sources pour collecter les renseignements utiles.

Le fait de permettre aux élèves d'accéder à un niveau approprié de responsabilité face à leur apprentissage n'exclut pas que l'enseignant puisse s'adresser à toute la classe le cas échéant. Dans l'exemple de corrélation entre les intérêts des élèves pour le skateboard et une leçon de maths sur la notion d'échelle et de proportion, l'enseignant a dû faire un cours préalable sur les fractions et la notion d'échelle pour que les élèves maîtrisent les compétences indispensables à l'élaboration de leur projet.

Donner aux élèves davantage de contrôle et de responsabilités dans leur processus d'apprentissage signifie néanmoins qu'une nouvelle charge vous incombe : celle de repérer toutes les voies d'accès aux sources d'information. Bon nombre de ces sources peuvent se trouver en dehors de l'école. Faciliter un apprentissage actif chez les élèves impliquera donc que vous leur fournissiez des méthodes pour accéder aux sources d'information extérieures. Être un facilitateur signifie aussi que vous aidiez l'élève à développer ses capacités dans le domaine de la sélection de l'information (quantité, qualité, usage ultérieur). Les murs de l'école n'étant plus un obstacle à l'obtention d'information, le problème qui guette désormais les élèves est celui du tri de la masse d'informations à laquelle ils accèdent. La clé de l'autonomie et de la responsabilité passe par l'acquisition de compétences spécifiques et la classe est l'endroit idéal pour apprendre aussi à bien gérer les informations reçues. Ces compétences peuvent faire l'objet d'un cours qui s'adressera à la classe toute entière.

EXEMPLE

Dans un questionnaire sur ses intérêts, une élève de 4e de collège a relevé certains domaines qui l'intéressent : les garçons, un groupe de rock précis, travailler plus tard dans une banque et en savoir davantage sur le Mexique où son père est né. Au cours de sciences humaines, on étudie l'économie en ce moment. Le professeur a déjà fait une leçon d'introduction générale à l'économie et aimerait que les élèves se lancent dans des projets qui traitent au moins d'un des sujets suivants : les pays du Tiers-Monde, la diversité du niveau d'éducation des populations, le revenu annuel par habitant, le revenu annuel par catégorie professionnelle et par habitant, le produit intérieur brut, les taux de natalité et de mortalité, l'espérance de vie. Après discussion avec le professeur, l'élève a décidé de construire un projet où elle fera la comparaison entre les systèmes bancaires du Mexique, d'Afrique du Sud et des États-Unis. Pour mener à bien ses recherches et déterminer les similitudes et différences d'un pays à l'autre, elle devra aborder la question du niveau d'éducation, du revenu par habitant, et de l'espérance de vie des pays concernés. Le professeur suggère le recours à plusieurs sources d'information dont les banques locales, et travaille avec la jeune fille à la mise au point d'un plan d'action pour obtenir les informations dont elle a besoin.

En tant que *facilitateur*, l'enseignant a donc désormais la responsabilité d'orienter l'élève vers diverses sources d'information. L'élève peut choisir d'avoir recours aux traditionnels documents imprimés disponibles en centre de documentation. Elle peut aussi choisir d'utiliser une base de données informatiques telles que MECC Data Quest, ou bien de consulter Internet depuis un des ordinateurs de l'école. Le choix des informations à collecter auprès des banquiers contraindra peut-être la jeune fille à préparer un entretien avec ces personnes sous forme de questionnaire. Les sources de renseignements choisies par l'élève auront des implications sur les compétences complémentaires que le professeur devra lui enseigner.

Pour pouvoir enseigner ce type de compétences aux élèves du primaire, les enseignants devront commencer par leur donner des occasions de découvrir et de comprendre les différentes sources d'information (bibliothèques, ordinateurs) qui s'offrent à eux. Ils devront leur montrer comment y accéder et comment les utiliser. Sachant que les écoles mettent de plus en plus l'accent sur les compétences permettant d'accéder à l'information, on assiste à la mise en place de programmes coordonnés répondant à la nécessité de voir les élèves s'approprier ces compétences.

En tant que concepteur de contenus, l'enseignant doit contrôler les progrès, prodiguer conseils et encouragements et repérer les sources d'information supplémentaires dont les élèves pourraient avoir besoin.

Pour revenir à notre élève de 4e et à son projet de comparaison des systèmes bancaires, une fois que la jeune fille aura dépassé le stade de la collecte d'informations, l'enseignant devra l'aider à en faire la synthèse. Il y a de nombreuses façons de traiter les données collectées pour étudier les différences et les similitudes qui existent entre elles. L'élève aura vraisemblablement besoin de l'aide du professeur de maths pour procéder à l'analyse des chiffres, mais aussi de celle du professeur de sciences humaines pour interpréter ces résultats chiffrés. Une fois l'analyse terminée, il faut alors trouver une méthode pour élaborer un projet complet et en présenter les résultats à la classe ensuite. Aussi faudra-t-il former l'élève à utiliser l'ordinateur pour qu'elle puisse présenter de manière graphique les corrélations qu'elle aura observées entre les facteurs économiques pris en compte. Le professeur d'arts plastiques pourra également être sollicité pour mettre au point les illustrations nécessaires à la présentation visuelle des données. Toutes ces considérations montrent qu'une responsabilité supplémentaire incombe au professeur de sciences humaines : celle de pratiquer l'interdisciplinarité en collaboration avec certains de ses collègues. Cette interdisciplinarité permet à l'élève de voir qu'il existe des relations concrètes entre les diverses matières enseignées.

Dans cet exemple, on voit aisément comment l'élève qui bénéficie de « facilitations » appropriées parvient à devenir expert dans le domaine précis qui l'intéresse. L'accès à une telle variété de données et la focalisation de l'élève sur des sujets d'un intérêt personnel particulier lui donnent la motivation d'étendre ses connaissances au-delà de celles du professeur.

L'occasion lui est ensuite offerte de faire partager ses connaissances et d'assumer le rôle d'un enseignant. Dans la mesure où le professeur n'est plus « l'expert » sur ce sujet précis, il est logique que ce soit le véritable expert qui présente les informations à la classe. En outre, l'enseignant partageant son domaine d'expertise (l'enseignement) avec l'élève, ce dernier pourra être formé aux techniques nécessaires à la conduite d'une leçon de sciences humaines centrée sur le domaine qui l'intéresse ; les élèves de sa classe ne devraient pas y rester indifférents.

ACTIVITÉS AUTODIRIGÉES

Question 1

Faites une liste des sources d'information possibles sur les systèmes bancaires de différents pays en tenant compte des facteurs économiques étudiés dans l'exemple donné ci-dessus.

Question 2

Créez une grille d'élaboration de projet à partir des centres d'intérêt des élèves et des sujets de sciences humaines énumérés plus haut. Utilisez ce tableau pour établir un projet d'élève qui n'utilise pas le pays d'origine du père comme domaine d'intérêt de l'élève. Utilisez au moins un des sujets économiques.

Question 3

Est-il possible de concevoir un projet à partir des informations données dans l'exemple cité plus haut, qui prenne en compte l'intérêt de la jeune fille pour les garçons ? Si oui, quel pourrait être ce projet ? Si non, comment pourriez-vous, en tant qu'enseignant, proposer d'étendre les objectifs économiques pour qu'ils incluent des sujets susceptibles d'être utilisés pour développer un projet d'élève ?

Question 4

Déterminez une série d'objectifs éducatifs qui pourraient faire l'objet d'une séquence d'enseignement dans votre classe. Établissez une liste probable des centres d'intérêt des élèves. Combinez les deux dans un tableau de conception de projet. Faites ensuite une proposition de projet d'élève sans trop la détailler. Quelles sources d'information suggéreriez-vous à l'élève ? Quelles compétences, en tant qu'enseignant, devriez-vous transmettre à l'élève pour qu'il puisse synthétiser et analyser les renseignements collectés ? Quelles suggestions feriez-vous à l'élève pour l'aider à présenter son projet à la classe de manière intéressante ?

Encourager la prise de risques en classe

Notre stratégie motivationnelle suivante implique que les élèves assument pleinement la responsabilité de leur propre apprentissage et de leur développement personnel. Vous devez aussi encourager les élèves à développer les capacités personnelles et scolaires nécessaires pour devenir de véritables preneurs de risques. Cette approche contribue à compenser les éventuelles conséquences négatives de la scolarité déjà citées : l'ennui, la peur d'échouer et le désinvestissement.

La meilleure façon d'inciter à la prise de risques est de respecter et d'apprécier sincèrement chaque élève dans sa différence et la singularité de son travail. Vous devez aussi savoir aider les élèves à repérer les récompenses qui leur conviennent et à se récompenser eux-mêmes de manière systématique et réaliste pour le travail accompli.

Stratégies d'encouragement à la prise de risques en classe : la modélisation

C'est à vous qu'il appartient de montrer que la classe est un environnement sans danger qui permet d'échanger de nouvelles connaissances. Il est capital que vous évitiez les réflexions humiliantes et que vous valorisiez chaque production d'élève aussi maladroite soit-elle. Vous pouvez également instaurer un climat qui interdise tout commentaire négatif entre camarades. Lorsqu'on vous pose une question à laquelle vous ne savez pas répondre parfaitement, si vous n'éprouvez aucune difficulté a) à admettre que vous ignorez la réponse et b) à demander aux élèves de donner leur avis, cette approche positive et efficace de la situation servira de modèle aux élèves. Si le fait de partager ce manque de connaissances avec les élèves ne vous gêne pas, vous verrez que tout le monde y gagnera puisqu'il leur faudra aller chercher les vraies réponses eux-mêmes. Cette situation servira de modèle aux élèves qui apprendront ainsi à faire face au même problème lorsqu'ils devront à leur tour faire partager ce qu'ils ont appris sur un sujet qui les intéresse. Ces stratégies faisant intervenir l'enseignant comme modèle et destinées à encourager la prise de risque chez les élèves ont un impact sur les deux partenaires. Tour à tour enseignant et apprenant, chacun se familiarise avec la prise de risques.

Stratégies d'encouragement à l'acceptation de la réussite

Non seulement les élèves craignent l'échec, mais ils redoutent aussi bien souvent la réussite scolaire en raison de la pression psychologique qu'exercent sur eux leurs camarades. Par exemple, si la culture dominante de la classe veut que ceux qui réussissent se fassent traiter « d'intellos », les élèves qui accordent plus d'importance à l'acceptation des autres qu'à la réussite en classe limiteront délibérément leurs performances. C'est pourquoi les élèves doivent apprendre à partager leurs connaissances avec les autres et à présenter leurs découvertes aux autres selon des modalités qui valorisent la contribution et les talents particuliers de chacun. Vous devez mettre au point avec vos élèves des techniques qui permettent une mise en commun des résultats dans un climat positif et constructif. Par exemple, si les élèves peuvent montrer que leurs projets individuels correspondent à des intérêts personnels, et que ces sources d'intérêt sont semblables à celles de leurs camarades, tout le monde aura l'impression de progresser à l'école dans des domaines personnellement signifiants.

Stratégies d'évaluation des travaux personnels

Si vous êtes parvenu au stade où vous n'orientez plus les élèves vers des sujets précis ou des approches spécifiques pour l'élaboration de leurs projets, les méthodes traditionnelles d'évaluation s'avéreront sans doute inappropriées. En réalité, la tendance actuelle à la mise en place de formes alternatives d'évaluation qui permettent de mesurer le développement individuel de l'élève reflète bien ce type de changements dans les méthodes d'évaluation. De plus, on s'accorde de plus en plus à reconnaître que la motivation de l'élève se maintient à un niveau élevé s'il sait que ses productions seront évaluées de manière appropriée. Ceci signifie que vous devrez sans doute mettre en place une panoplie d'outils d'évaluation, comme le portfolio*, ou des mesures conçues pour aider les élèves à évaluer leur développement personnel et l'accomplissement de leurs objectifs d'apprentissage.

Stratégies pour aider les élèves à choisir des récompenses appropriées

Les notes peuvent encore motiver un grand nombre d'élèves, mais pour ceux qui ne croient pas à la pertinence des courbes de notation, il convient de mettre en place de nouveaux systèmes de récompenses ou *incitants*. Les élèves sont la source de renseignements la plus fiable concernant les types de récompenses revêtant pour eux le plus de signification. Vous prenez un risque supplémentaire en les autorisant à choisir eux-mêmes leurs récompenses, mais un grand nombre d'enseignants qui ont décidé d'associer les élèves à ce choix ont été surpris des résultats. Lorsque les élèves peuvent bénéficier d'expériences d'apprentissage positives leur accordant un certain contrôle, lorsqu'ils se sentent valorisés et respectés, les récompenses qu'ils choisissent sont en général des récompenses qui leur permettent d'approfondir leur apprentissage ou leur assurent une reconnaissance pour le travail accompli. Par exemple, certains choisiront l'occasion de pouvoir se lancer dans un projet avec des gens de leur entourage qu'ils admirent, ou la chance de pouvoir participer à une sortie scolaire précise, ou celle encore d'apporter leur contribution au déroulement d'un entretien parents-enseignant les concernant.

Activités d'encouragement à la prise de risques en classe

Les activités que nous allons décrire illustrent quatre aspects importants de l'encouragement à la prise de risques dans le contexte scolaire. Il s'agit de : a) l'encouragement à la prise de risques par la modélisation, b) le développement de la capacité à accepter la réussite, c) l'évaluation individualisée de performances ou de projets individuels et d) le développement de capacités à sélectionner la récompense ou la reconnaissance appropriée.

* Voir : Paris S. G. & Ayres L. R., (2000). *Réfléchir et devenir*, Bruxelles, De Boeck Université.

En ce qui concerne notamment les grands élèves du primaire, les élèves de collège et de lycée, prendre une part active et constructive dans un environnement plus ouvert et moins balisé, nécessitera de nouveaux apprentissages et de nouvelles pratiques. L'autorégulation ou autogestion de son propre apprentissage est une compétence qui s'acquiert. Une méthode efficace pour donner à vos élèves à la fois la théorie et la pratique, consiste à procéder vous-même à la phase d'introduction des chapitres à étudier en leur servant ainsi de modèle.

Cette phase peut aussi vous donner l'occasion de montrer que vous ne détenez pas le savoir absolu et qu'en réalité, vous êtes souvent amené à vous poser beaucoup de questions intéressantes sur le sujet ; les élèves, eux aussi, pourraient se poser ces questions. La phase d'introduction peut en fait donner naissance à un certain nombre d'idées que les élèves pourront utiliser dans leurs projets.

EXEMPLE

Un professeur de sciences s'apprête à commencer un chapitre sur l'énergie, l'histoire de l'énergie, les sources traditionnelles d'énergie, les sources alternatives d'énergie, la consommation et la conservation de l'énergie et l'impact de la production d'énergie sur l'environnement. À ce stade de l'année, les élèves ont affiné leurs compétences : ils savent mieux remplir les questionnaires sur leurs centres d'intérêt et mieux décrire leurs goûts. De plus, l'enseignant les a encouragés à répondre à des questionnaires sur leurs intérêts personnels en relation directe avec les formes d'expression écrite et orale qu'ils ont étudiées au cours de langue maternelle et à choisir la forme d'expression qui leur convient le mieux. Le professeur de sciences et le professeur de langue maternelle ont coordonné leurs activités et souhaitent se concentrer sur un certain nombre de techniques d'expression particulières : exposés traditionnels, démonstrations orales, histoires racontées à toute la classe, débats, pièces de théâtre, jeux de rôles, rédaction de nouvelles, de courriers commerciaux, de devoirs de recherche, de poésies et d'essais. Un des élèves a fait part de son intérêt particulier pour l'expression poétique.

Pour montrer aux élèves comment procéder, donc pour « servir de modèle », l'enseignant a lui aussi rempli un questionnaire sur ses intérêts personnels. Puis il a souligné les objectifs pédagogiques du chapitre consacré à l'histoire de l'énergie et a dessiné une grille d'élaboration de projet pour la classe, comme celle présentée figure 10.

Le professeur montre aux élèves qu'en utilisant ce tableau, ils peuvent prendre une décision commune comme celle, par exemple, de présenter un projet sur l'histoire de l'énergie sous la forme d'un jeu de rôles. Voyons comment cet exemple fonctionne.

	Grille d'élaboration de projet					
	Histoire de l'énergie	Sources traditionnelles d'énergie	Sources alternatives d'énergie	Consommation de l'énergie	Conservation de l'énergie	L'énergie et l'environnement
Exposé traditionnel						
Démonstration orale						
Histoire à raconter						
Débat						
Pièce de théâtre						
Jeu de rôles						
Rédaction d'une nouvelle						
Rédaction d'un courrier commercial						
Devoir de recherche						
Poésie						
Essai						

Figure 10
Recours à une grille d'élaboration de projet pour donner aux élèves l'occasion de faire des choix : ils choisissent les compétences linguistiques qui interviendront dans la présentation de leurs travaux sur l'histoire de l'énergie.

EXEMPLE
Le cours de sciences

1er JOUR

C'est le premier jour de classe. Le professeur de sciences, Mme Snyder, sait qu'elle ne pourra retenir l'attention des élèves si elle ne leur accorde pas un moment pour bavarder entre eux et se retrouver après la séparation des grandes vacances. Lorsque les bavardages s'estompent, elle leur pose la question :

« Vous êtes-vous déjà demandé ce que vos arrière-grands-parents faisaient lorsqu'ils avaient besoin de voir clair, une fois la nuit tombée ? » La classe fait silence tandis que chacun se demande où le professeur veut bien en venir.

Mme Snyder poursuit : « Nous savons qu'ils ne pouvaient pas appuyer sur un interrupteur pour allumer l'électricité. Ils devaient donc bien faire quelque chose d'autre, mais quoi ? Quelqu'un a-t-il une idée de ce qu'ils pouvaient bien faire pour avoir de la lumière le soir pour lire ou travailler ? » Au début, la plupart des élèves hésitent à risquer une réponse qui pourrait passer pour stupide. En leur accordant un long moment de réflexion, et, avantage fortuit, en leur donnant la conviction qu'on n'avancera pas tant qu'un volontaire ne proposera de réponse, le professeur finit par obtenir l'explication d'un élève qui lâche : « Ils devaient sans doute faire du feu ».

Quelques rires se font entendre dans la classe. « Effectivement, c'est une possibilité. Le feu dispense à la fois lumière et chaleur » enchaîne Mme Snyder, « et ton arrière-grand-père pouvait ainsi être bien au chaud pour lire. Mais par quels autres moyens pouvait-on s'éclairer à cette époque ? » Le professeur cherche des yeux l'élève qui a ricané le plus fort et pose à nouveau sa question. « Eh bien,... je n'en sais rien, moi, » lance le garçon agacé. « Mais si tu sais,... mais simplement tu ne t'attendais pas à ma question. C'est bon, reprends ton souffle et regarde donc au plafond deux ou trois secondes le temps de rassembler tes idées et de trouver une autre source de lumière possible. » On voit les élèves remuer un peu sur leurs chaises tandis qu'ils se mettent à réfléchir pour de bon à ce qu'ils pourraient bien répondre s'ils étaient interrogés à leur tour. L'attente semble s'éterniser ; un coup d'oeil à la pendule ne change rien à l'affaire. On dirait que les aiguilles du vieux cadran se sont arrêtées, chaque seconde attendant le dernier moment pour s'écouler comme si elle rechignait à lâcher prise.

Par la modélisation, montrez que vous savez résoudre l'éternel problème de la mise en route en début de cours.

« Pourquoi la prof ne nous donne-t-elle pas simplement la réponse, elle qui est sensée tout savoir, » pense une jeune fille tout bas. « En tout cas, je sais ce que je répondrai si elle m'interroge. Maman a une vieille lampe à la cave qui appartenait à grand-mère. On y faisait brûler de l'huile de cachalot ou quelque chose comme ça. C'est idiot d'avoir dit le feu. C'est trop long à démarrer comparé à une lampe. Pourquoi la prof n'a-t-elle pas rigolé quand il a dit ça ? » La jeune fille retourne encore la question dans sa tête lorsqu'on entend soudain « Une lampe ! » En une fraction de seconde, elle réalise que c'est elle qui a parlé. Son subconscient a conditionné son acte.

« Juste à temps... » pense Mme Snyder en amorçant la discussion qu'elle a soigneusement préparée sur l'histoire de l'éclairage, depuis la lampe à huile jusqu'à l'ampoule électrique. « Bonne réponse. En effet, on utilisait beaucoup la lampe à huile au XIXe siècle. En fait, on utilisait toutes sortes d'huiles d'origines diverses... » À ce moment-là, la porte de la classe s'entrouvre en grinçant pour laisser passer la tête d'un élève chargé de remettre un message de l'administration. Mme Snyder se montre très contrariée de voir ses cours continuellement interrompus sous le moindre prétexte. L'année dernière, c'était devenu insupportable. Elle espérait que les choses changeraient cette année. Elle avait décidé de contrôler le cycle de ses pensées et de rompre le cercle infernal Interruption-Frustration-Colère-Perturbation-Frustration accrue-Colère accrue.

Faites en sorte que les questions aient une résonance personnelle auprès des élèves et montrez-leur que vous accordez de la valeur à leurs idées.

Cette interruption sera peut-être même un exemple parfait à utiliser avec les élèves lorsqu'il faudra commencer à leur faire prendre conscience de leur propre fonctionnement psychologique et de leur contrôle actif. Les élèves pourront observer comment elle prend le contrôle de son processus de pensée pour désamorcer le problème des interruptions incessantes, à partir d'un exemple qui a une signification dans cette classe. Les élèves pourraient même en arriver à découvrir que le professeur est une « vraie » personne, comme tout le monde.

5e JOUR

La première semaine a passé vite et tout va bien, semble-t-il. Les élèves de Mme Snyder ont commencé à comprendre ; ils apprécient les découvertes qu'ils font sur leur processus mental et la manière dont celui-ci conditionne leur comportement. Les enquêtes sur les centres d'intérêt des élèves surprennent, comme toujours, par la diversité des résultats obtenus. Bien qu'il reste encore du travail à faire pour que les élèves soient plus attentifs et plus réalistes dans les objectifs qu'ils se fixent, il semble qu'ils commencent à prendre très activement leurs projets en mains.

Par la modélisation, montrez aux élèves que la classe est un environnement inoffensif, un lieu où aucune réponse n'est ridicule. La classe est un lieu où ils doivent participer, même s'il leur faut du temps pour accepter cette idée.

Les cours se sont particulièrement bien déroulés, en dépit d'une interruption due à un exercice incendie non-programmé. Mme Snyder était au beau milieu de son incarnation d'un personnage du XVIIIe siècle, ramassant du bois pour se chauffer, lorsque l'alarme retentit. « Pas de problème », se dit-elle, tandis que les élèves se levaient et se dirigeaient vers la porte, « Je vais leur dire que nous aussi, nous sortons chercher du bois pour l'hiver. Peut-être que cette sortie va leur rafraîchir un peu les idées. On pourrait aussi en profiter pour rester un peu dehors et réfléchir à d'autres moyens plus efficaces de se chauffer pendant l'hiver. »

À la fin du cours, après avoir joué le rôle du scientifique à la recherche de nouvelles techniques pour capter l'énergie solaire, elle leur fait ranger le bois ramassé. « J'ai pensé qu'on pourrait consacrer un quart d'heure à parler des progrès que tout le monde semble avoir faits. Notamment lorsque, chacun à votre tour, vous nous faites part de l'avancement de votre projet. Vos commentaires me paraissent tous beaucoup plus constructifs, plus du tout négatifs. Je suis sûre que chacun d'entre vous se sent beaucoup plus à l'aise lorsqu'il s'agit de présenter ses découvertes à la classe et que vous ne craignez plus qu'on se moque de vous. Voyons un peu comment nous pouvons montrer à ceux qui nous présentent leurs travaux que cela nous intéresse et que nous apprécions les nouvelles choses que ces présentations nous apprennent. »

Dans cet exemple, les changements observables dans la classe de Mme Snyder sont flagrants. Les élèves assument désormais l'essentiel de la tâche de collecter, organiser et présenter les informations. Le professeur a donc passé moins de temps sur ses préparations de cours sur des sujets précis relatifs à l'énergie, parce que, dans une certaine mesure, cette tâche est désormais prise en charge par les élèves individuellement. Par contre, elle doit passer davantage de temps auprès de chaque élève pour l'aider à organiser et concrétiser son projet.

Toute interruption dans le cours perturbe généralement les enseignants. Voici comment fonctionne le cycle de nos pensées : nos pensées à propos de l'interruption des cours engendrent un sentiment de frustration. Nous devenons irritables. Ce cercle vicieux s'aggrave à chaque interruption supplémentaire, et ce comportement devient de plus en plus perceptible par les élèves.

L'évaluation des projets prend, quant à elle, beaucoup de temps, car chacun doit être considéré dans son originalité et sa spécificité. Voici à cet effet, quelques suggestions pour parvenir à une évaluation positive et personnalisée, et un système de récompenses approprié :

- Lors de la phase d'élaboration d'un projet, informez vos élèves de ce que l'on attend d'eux à la fin.
- Impliquez les élèves dans un processus d'évaluation continu tout au long du travail.
- Lorsque la routine habituelle le permet, consacrez du temps à des entretiens individuels avec les élèves pour parler de l'évaluation de leurs projets.
- Laissez les élèves s'auto-évaluer, et montrez que vous leur faites confiance pour le faire en toute honnêteté.
- Éventuellement, mettez en place un système d'évaluation entre élèves.
- Pour les projets qui reposent lourdement sur l'intervention d'autres collègues en tant que facilitateurs, envisagez de les impliquer aussi dans le processus d'évaluation.
- Encouragez les élèves à décider avec vous s'il vaut mieux évaluer leur projet par une note traditionnelle ou un autre système de rétribution.
- Encouragez les parents, voire même d'autres partenaires du système éducatif à prendre part au processus de détermination des récompenses.

ACTIVITÉS AUTODIRIGÉES

Question 1

Quels risques Mme Snyder a-t-elle pris en menant ainsi sa classe ? Que risquait-elle en donnant aux élèves la liberté de poursuivre des projets d'intérêt individuel ?

Question 2

Utilisez le concept du Cycle de la pensée pour décrire par quels moyens Mme Snyder est parvenue à vaincre sa peur du risque qu'elle courait en laissant les élèves libres de choisir leur projet. Utilisez le schéma du Cycle de la pensée pour décrire les pensées, les sentiments et le comportement qui pouvaient être les siens.

Question 3

À quelles stratégies supplémentaires pourriez-vous recourir, pour développer des systèmes d'évaluation valables et intéressants face à des projets d'élèves présentant une grande diversité ?

Créer un climat d'apprentissage positif

La dernière stratégie motivationnelle que nous aborderons est celle qui consiste à établir un climat positif de soutien social et psychologique dans lequel chaque élève sera véritablement valorisé et respecté. Pour y parvenir, vous devez connaître les qualités personnelles nécessaires à la création d'un environnement de soutien et de confiance où l'élève se sente en sécurité.

Lorsque les individus se trouvent dans un environnement sûr et positif et bénéficient de relations de qualité avec les autres, leurs sentiments de peur et d'insécurité diminuent considérablement. Pour les élèves à risques, leur passé d'échecs scolaires, leurs attitudes négatives à l'égard d'eux-mêmes et du système scolaire, et le contexte familial et culturel négatif dans lequel ils évoluent leur donnent un sentiment d'insécurité considérable. Leur crainte de prendre des risques en classe est énorme. Ces sentiments s'accompagnent généralement d'un manque de confiance, d'une hostilité et d'une agressivité qui peuvent conduire à un désinvestissement total ou à un comportement perturbateur. Lorsque les élèves ne comprennent pas le rôle qu'ils jouent dans la création de pensées négatives et de perceptions déformées de la réalité, lorsqu'ils ignorent à quel point ce qu'ils éprouvent dépend de leurs pensées, ils perdent leur équilibre, leur bien-être mental naturel, et aussi leur motivation. Si des adultes bienveillants créent pour eux des environnements rassurants où règnent la confiance et le respect mutuel, les sentiments d'insécurité de ces élèves pourront être réduits et, comme un bouchon qui remonte à la surface de l'eau, leurs sentiments positifs naturels, leur bon sens et leur motivation d'apprendre et de progresser pourront refaire surface. En effet, ces environnements positifs mettent les élèves dans un état d'esprit optimal pour apprendre. C'est ainsi qu'on a le plus de chances de leur apprendre ce qu'ils ignorent sur leur propre fonctionnement psychologique.

En tant qu'enseignant, vous savez bien que c'est au fond de soi que l'on trouve motivation, estime de soi et équilibre psychologique ; vous savez aussi qu'il suffit d'un climat sûr et bienveillant pour qu'émerge ce noyau sain. Vous savez que si vos modes d'action ou de réaction face aux élèves passent par le jugement, la critique ou la sanction, vous pourrez déclencher ou confirmer des pensées et interprétations négatives chez les élèves et compromettre l'expression de leur motivation et l'épanouissement de leur amour-propre. Vous savez que ces comportements négatifs déclencheront chez eux un sentiment d'insécurité ou de mal-être.

Propositions d'activités

Activités destinées à établir un climat d'apprentissage positif

Évaluez vos qualités d'enseignant

Vous devez être capable de repérer en vous les qualités qui vous permettront d'établir un climat positif d'apprentissage et d'évaluer dans quelle mesure ce climat positif se vérifie dans votre classe. Il s'agit d'un climat de bienveillance et d'intérêt pour les enfants, où les adultes témoignent aux élèves la valeur et l'importance qu'ils ont, et leur donnent des occasions de construire des relations humaines de qualité. Les jeunes peuvent se trouver des modèles et des mentors à la faveur d'une atmosphère familiale empreinte d'affection et de soutien mutuel.

Il sera donc utile de savoir comment évaluer vos propres qualités et comment les mettre à profit pour nourrir l'attention et l'intérêt que vous portez à chaque enfant ; ce souci de l'élève constitue la pierre angulaire de tout climat positif d'apprentissage. Il sera également utile de savoir maintenir avec constance les interactions positives et motivationnelles avec chaque élève ; elles l'aideront à se projeter au-delà de cadres de références négatifs ou prédéterminés. En encourageant ainsi les élèves, vous leur donnez accès aux satisfactions que donnent l'estime de soi et le sentiment d'être aux commandes. Un climat de soutien actif, personnel et social, aide élèves et enseignants à progresser et apprendre avec bonheur.

Un bon moyen d'évaluer vos qualités personnelles et de déterminer quelles sont les qualités requises pour entretenir un climat positif d'apprentissage consiste à établir des comparaisons. Lisez les exemples qui suivent et demandez vous : « Est-ce ainsi que je procède, moi aussi ? »

EXEMPLE

M. Able est très organisé, discipliné et structuré. Il aime que sa classe de CE2 soit bien rangée, avec des tables bien alignées, un tableau propre et des panneaux d'affichage clairs et bien lisibles. Il exige des élèves qu'ils s'asseoient calmement, ne courent pas, ne parlent pas à haute voix, et qu'ils obéissent à toutes les règles en vigueur dans la classe. Lorsque quelqu'un enfreint ces règles, il est sévèrement réprimandé et assigné au premier rang pour le reste de la journée.

Si l'on devait faire irruption dans la classe de M. Able, quels que soient l'heure ou le jour, on y trouverait une atmosphère calme, disciplinée, avec des élèves visiblement sérieux et dociles.

Par contre, on trouverait sans doute la classe de CE2 de Mme Sonny bruyante et chaotique. Les enfants y bavardent gaiement en petits groupes à propos du sujet du jour, ou encore travaillent à leurs projets. Le tableau et les panneaux d'affichage présentent toute une collection de travaux que les élèves ont gérés eux-mêmes. Il règne une atmosphère de joie et d'excitation. On voit souvent Mme Sonny travailler assise auprès d'un élève ou d'un groupe d'élèves, ou encore passer de table en table pour les complimenter.

À votre avis, laquelle de ces deux classes propose le meilleur climat d'apprentissage ? Il est clair qu'elles diffèrent radicalement l'une de l'autre. Ce qu'il est important de noter, cependant, c'est que certaines qualités contribuent plus que d'autres à une stimulation optimale de la motivation d'apprendre. Des conceptions anciennes de la motivation laissaient croire que les enseignants pouvaient motiver des comportements en exerçant un contrôle extérieur, en accordant des récompenses et en comparant les performances au sein de la classe. Des conceptions plus récentes démontrent que les enseignants moins directifs qui accordent aux élèves davantage d'autonomie, d'initiative et d'occasions de s'exprimer, leur garantissent en réalité, un environnement nettement plus propice à leur épanouissement scolaire. C'est dans ces environnements caractérisés par des interactions intéressées et motivées entre élèves et enseignants et où l'on prône l'autonomie, qu'on a vu les élèves développer le plus de compétences et bénéficier d'une plus grande estime d'eux-mêmes associée à une grande autodétermination. On a pu observer que ce climat débouchait sur une motivation et un apprentissage de grande qualité.

Voyons maintenant quelles qualités cette approche requiert de la part des enseignants. Nous vous en proposons une liste mise en évidence par les travaux de recherche de Richard Ryan et Jerôme Stiller.

Les enseignants qui savent éveiller la motivation interne des élèves sont :

- bien renseignés sur les besoins individuels des élèves
- intéressés par la progression de chaque élève
- constants et fermes vis-à-vis des règles, des limites fixées, et des ressources proposées
- démocratiques
- encourageants
- chaleureux
- positifs quant au potentiel de réussite de chaque élève
- respectueux de toute tentative de production venant des élèves

Ces mêmes travaux de recherche ont mis en lumière un certain nombre de qualités humaines nécessaires à l'instauration d'un climat positif d'apprentissage dans la classe. Il apparaît que l'enseignant doive :

- être détendu
- savoir s'amuser
- aimer son travail
- savoir insister sur le bon côté des choses
- se montrer constant dans les limites qu'il fixe
- faire la discipline sans humilier les élèves

- encourager les élèves à prendre des risques
- ne pas viser la perfection
- avoir le sens de l'humour
- faire de la discipline une affaire aussi privée que possible
- ne pas oublier que les élèves ne sont pas méchants ou « nuls », mais qu'ils manquent simplement de confiance
- savoir pardonner et oublier
- savoir tenir bon et ne jamais abandonner

Toutes ces qualités traduisent un sentiment de respect et d'affection pour les élèves. Elles sont à la base de toute relation élève-enseignant de qualité.

Évaluer le climat de la classe

La deuxième chose qui pourra vous aider à instaurer un climat propice à l'apprentissage sera votre capacité à en évaluer la nature. Les dimensions suivantes sont importantes pour évaluer l'atmosphère qui règne dans votre classe :

- **Ordre et sécurité affective** : On respecte les élèves en tant qu'individus dans leur identité culturelle propre ; règles et procédures sont clairement définies et communiquées.
- **Prises de décisions en commun** : Ensemble, élèves et enseignants sont impliqués dans l'établissement des règles, des objectifs et des procédures opératoires, pour arriver à un sentiment de responsabilité partagée et de collégialité.
- **Un niveau d'exigence élevé pour tous les élèves** : Ce qui compte le plus, c'est que l'élève apprenne et qu'il accepte de prendre des responsabilités ; tous les élèves sont sensés atteindre des objectifs d'apprentissage.
- **L'incitation à la prise d'initiatives** : En accordant aux élèves des niveaux de choix appropriés, l'enseignant leur donne l'occasion de concevoir eux-mêmes un certain nombre d'activités et de prendre des responsabilités (ex : choix de centres d'intérêt, choix du moyen qui leur permettra de communiquer ce qu'ils ont appris).
- **Accepter la multiplicité des points de vue et des solutions aux problèmes** : L'enseignant se refuse à « faire autorité » ; il reconnaît aux élèves le privilège d'être plus compétents que lui dans certains domaines ; il sert ainsi de modèle aux élèves, en leur montrant sa tolérance face à la diversité des opinions et en

reconnaissant la relativité du savoir dans les domaines complexes.

- **Les sentiments et les idées des élèves sont pris en considération** : Les idées et sentiments proposés par les élèves sont reconnus et valorisés.

Un certain nombre de critères supplémentaires ont été pris en compte par les chercheurs pour analyser le climat qui règne dans une classe. Ces critères incluent la manière dont les élèves en perçoivent le climat. Dans quelle mesure les indicateurs suivants caractérisent-ils leur propre classe ? :

Indicateurs de climat positif

- **cohésion** : les élèves qui savent aident les autres ; on travaille dans un climat d'entraide ;
- **diversité** : les élèves sont encouragés à développer leurs divers centres d'intérêt ;
- **formalité** : l'attitude en classe est conditionnée par des règles formelles ;
- **coopération** : l'accent est mis sur la coopération entre élèves ;
- **satisfaction** : les élèves ont plaisir à travailler en classe ;
- **préoccupation** : les enseignants sont sensibles aux besoins psychologiques et sociaux de chacun de leurs élèves ;
- **démocratie** : les élèves prennent part aux décisions ;
- **orientation du cours** : les objectifs de la classe sont clairs.

Indicateurs de climat négatif

- **favoritisme** : l'enseignant traite certains élèves plus favorablement que d'autres ;
- **difficulté** : le niveau de difficulté du travail de classe ne correspond pas aux compétences des élèves ;
- **frictions** : les tensions et disputes entre élèves sont fréquentes ;
- **compétition** : l'accent est clairement mis sur la concurrence entre élèves ;
- **contrôle social** : les enseignants imposent leurs attentes de manière autoritaire et exercent le pouvoir sans prendre les besoins des élèves en considération.

En résumé

Nous avons consacré l'objectif 4 aux diverses stratégies permettant d'établir en classe le climat le plus propice à l'épanouissement de la motivation naturelle d'apprendre des élèves. Ces stratégies consistent à :

a) trouver des moyens d'aider les élèves à assumer le plus possible la responsabilité de leur apprentissage et à répondre au besoin d'autodétermination en accordant choix et contrôle ;
b) aider les élèves à accepter de prendre des risques scolaires en proposant un modèle, en les entraînant, et en développant des stratégies d'auto-évaluation ;
c) apprendre à nous connaître et comprendre comment nos propres qualités humaines conditionnent l'instauration d'un climat d'apprentissage positif.

Pour conclure cette analyse, nous dirons que les atouts les plus importants pour atteindre les élèves difficiles à motiver sont le respect d'un engagement à progresser soi-même en faisant progresser chaque apprenant. Vos élèves ressentiront et réagiront à ces qualités, comme aux compétences que vous possédez dans les matières que vous enseignez et aux stratégies pédagogiques que vous adoptez. Une fois en confiance, sachant que vous les respectez et vous souciez d'eux, et que vous avez à coeur de les encourager à découvrir leur potentiel, même les élèves les plus récalcitrants se laisseront toucher et pourront retrouver la motivation d'apprendre.

Les enseignants qui parviennent le mieux à atteindre ces élèves démotivés sont ceux qu'anime un perpétuel optimisme, ceux qui ne se laissent pas intimider et qui s'identifient à leurs élèves dans la démarche empathique qu'ils construisent.

Les travaux de recherche montrent sans exception que les élèves évoluant dans un environnement familial, social ou scolaire « à risques », ont besoin d'expériences avec des adultes qui leur servent de modèle. Ils ont besoin d'être en contact avec des adultes responsables, réfléchis et positifs qui sachent établir un climat de respect et de soutien mutuel.

Une fois mis en place, les techniques et outils présentés ici pourront améliorer considérablement la capacité des élèves à comprendre les principes du contrôle actif qui est de leur ressort ; ils les aideront à assumer la responsabilité de leur propre apprentissage et de leur développement.

Un dernier conseil : quelles que soient les circonstances, il est primordial que vous sachiez préserver votre propre bien-être mental et que votre approche demeure positive. Si vous fonctionnez dans le stress, si vous vous sentez épuisé ou découragé, ou si vous éprouvez des difficultés à traiter avec les élèves démotivés, vous aurez du mal à maintenir dans vos échanges avec ces élèves, les qualités positives propres à favoriser des modes de fonctionnement sains et positifs. Mieux vous saisissez la façon dont vos pensées peuvent engendrer des sentiments négatifs (comme le stress), et mieux vous en voyez les répercussions possibles auprès des élèves à haut risque ; plus dès lors il vous deviendra aisé de préserver votre équilibre et de continuer à respecter ces jeunes gens. Grâce à cet équilibre psychologique, il vous sera plus facile d'aider les élèves démotivés à fonctionner de manière plus positive eux aussi. C'est à la faveur de ce climat encourageant et sécurisant que la motivation naturelle des élèves pourra renaître et qu'ils pourront retrouver leur équilibre psychologique. Le processus joue dans les deux sens.

ACTIVITÉS AUTODIRIGÉES

Question 1

Quelles sont les cinq fonctions de l'enseignant assumant le rôle de stimulateur ?

Question 2

Pourquoi est-il important de montrer aux élèves comment ils fonctionnent au niveau psychologique, avant de les laisser s'aventurer dans des projets d'étude individuels ?

Question 3

Dessinez un « Cycle de la pensée » pour illustrer le cycle Pensée-Sentiment-Comportement d'un enseignant se trouvant dans la situation où il pourrait se sentir professionnellement menacé par un élève devenu expert dans un domaine spécifique et donc mieux informé que lui-même. Comment l'enseignant peut-il mettre à profit sa connaissance du cycle de la pensée pour le rompre et se sentir à l'aise dans le contexte évoqué ?

Question 4

Quels sont les éléments favorisant l'instauration d'un climat positif dans la classe ? Quels signes pourraient vous convaincre que vos élèves travaillent effectivement dans un tel climat ?

RÉPONSES AUX QUESTIONS

1

Les cinq fonctions de l'enseignant sont :

a) Expliquer aux élèves leurs modes de fonctionnement psychologique et le contrôle actif qu'ils peuvent exercer dans la création et l'orientation de pensées influant sur leur motivation et leur apprentissage.
b) Aider les élèves à se forger une estime d'eux-mêmes, à accorder de la valeur au processus d'apprentissage qui est le leur, comme aux activités spécifiques qui s'y rattachent.
c) Donner aux élèves des occasions de manifester leur tendance naturelle à apprendre, à se développer et à prendre en mains leur apprentissage.
d) Encourager la prise de risque en classe pour compenser les éventuelles conséquences négatives de la vie scolaire : ennui, peur de l'échec et désinvestissement.
e) Établir un climat positif de soutien personnel et social qui autorise chaque élève à se sentir véritablement apprécié et respecté.

2

En prenant conscience de la manière dont convictions et sentiments se trouvent intimement liés dans le cycle de leurs pensées, les élèves apprendront à voir à quel point leur comportement est bien souvent contrôlé de manière artificielle. En reconnaissant que des réalités distinctes déforment souvent la façon dont ils perçoivent leur environnement, les élèves parviendront à modifier leur point de vue et à accorder de la valeur à leur processus d'apprentissage et aux activités qui s'y rattachent.

3

Les schémas pourront varier ; néanmoins, les réponses sur l'utilisation du schéma devraient indiquer que l'enseignant comprend désormais que si son comportement traduit un sentiment de peur, c'est qu'il est convaincu que les enseignants sont sensés détenir toutes les réponses. Une fois que l'enseignant aura reconnu que le professeur ne saurait être omniscient, il pourra rompre le cycle au stade de la pensée et éliminer la peur.

4

a) Ces éléments sont, principalement, qu'il est nécessaire d'imposer des limites logiques et cohérentes, que les élèves doivent être encouragés à prendre des risques, que la discipline doit demeurer une affaire aussi privée que possible et que les enseignants et les élèves doivent savoir pardonner et oublier.
b) Les élèves sont détendus, prennent plaisir à ce qu'ils font et travaillent en autonomie, sans intervention du professeur. Ils n'abandonnent pas en cours de route si le travail est difficile.

ACTIVITÉS AUTODIRIGÉES

Question 1

Faites une liste des qualités évoquées ici que vous estimez pouvoir mettre à profit pour instaurer un climat positif d'apprentissage dans votre classe. (Vous pouvez y adjoindre d'autres qualités qui vous paraissent essentielles.)

Question 2

Revenez sur les qualités requises chez l'enseignant et sur les indicateurs du climat de la classe. Utilisez-les pour dresser votre propre « Bilan du climat de classe ».

Question 3

Revenez au cas de Natacha et Kevin au début du livre. Lisez les suggestions que vous aviez rédigées sur les meilleurs moyens de motiver ces élèves. Auriez-vous maintenant une approche ou des stratégies différentes ? Notez toute remarque, tout changement dans la façon dont vous traiteriez désormais avec ces deux élèves.

Avec Natacha, ma nouvelle approche consisterait à…

Avec Kevin, ma nouvelle approche consisterait à...

RETROUVONS NATACHA ET KEVIN

- NATACHA
- KEVIN

À la lumière de la philosophie et des stratégies présentées dans cet ouvrage, voici maintenant quelques exemples de l'action qu'il est possible de mener avec Natacha et Kevin.

NATACHA

Le professeur de Natacha repense à son attitude fermée et, une fois encore, examine les raisons de son comportement. Mme Ford voit bien le mal que l'élève éprouve pour lire et voit aussi que ses camarades se moquent d'elle en classe. L'enseignante réfléchit aussi au sentiment d'impatience et de frustration qu'elle ressent face à Natacha et comprend qu'elle communique certainement ces sentiments à son élève, qu'elle le veuille ou non.

Mme Ford commence à comprendre que Natacha est très certainement convaincue d'être « nulle » et qu'elle en souffre considérablement. Maintenant qu'elle entre dans le point de vue de Natacha, l'enseignante peut commencer à chercher des stratégies pour répondre au besoin qu'éprouve Natacha : se sentir capable d'accomplir des choses.

Mme Ford veut l'aider à améliorer ses compétences en employant une méthode douce qui lui permette de se sentir à l'aise, bien soutenue, nullement menacée. L'objectif est d'aider Natacha à accéder à un sentiment de maîtrise en lecture et à se sentir acceptée par les autres. De plus, elle sait qu'il est capital de parvenir à cet objectif en associant directement Natacha aux décisions, sachant que c'est le seul moyen de donner un sens et une résonance personnelle à l'entreprise.

Dans cette perspective, Mme Ford a le choix entre de nombreuses approches différentes. Elle pourrait, par exemple, commencer à étudier la façon dont elle va parler avec Natacha des choses que la petite fille aime bien faire et des choses qu'elle aimerait bien apprendre. À partir de ces renseignements, elle prévoit de suggérer à Natacha différents moyens de découvrir par la lecture tout ce qu'elle veut savoir ; elle a également l'intention de travailler avec Natacha au choix des activités de lecture. Dans le but de répondre à certains des besoins sociaux de Natacha, elle commence à réfléchir à la façon dont elle va impliquer les élèves dans des groupes d'apprentissage coopératif où tous les niveaux de lecture seront confondus. En outre, elle sait qu'elle devra veiller à apporter à Natacha le soutien et les encouragements individuels qui permettront de développer chez cette petite fille les talents et les capacités qui lui sont propres.

KEVIN

Les professeurs de Kevin travaillent tous en équipe au niveau de la 5e. L'équipe commence à se pencher sur les absences et le comportement perturbateur de Kevin. Ils sont conscients de ses difficultés personnelles et familiales, et de la manière dont elles influent sur son comportement. Ensemble, ils réfléchissent aux réactions qu'ils ont eues jusqu'ici face à Kevin. Ils cherchent à voir comment leurs propres sentiments d'inquiétude et de frustration devant leur incapacité à trouver un moyen d'atteindre l'enfant peuvent avoir isolé celui-ci encore davantage. Ils commencent à comprendre à quel point il est difficile pour Kevin de revenir continuellement à son école et de rétablir à chaque fois le contact avec tout le monde. Ils s'aperçoivent que le besoin d'appartenance de Kevin n'est pas satisfait et que cela l'empêche de s'investir dans la vie scolaire.

Comme Kevin n'a que très peu d'amis à l'école et que sa vie familiale lui offre peu ou pas de relations positives avec des adultes, les enseignants s'accordent à reconnaître la nécessité de l'aider à développer les capacités requises pour se faire des amis et pour s'impliquer dans les activités communautaires de l'école. L'équipe a pour objectif d'aider Kevin à percevoir que les rapports humains qu'il a à l'école sont positifs, qu'il peut se fier ici à des personnes qui se soucient de lui et le respectent. Les enseignants comprennent que la situation familiale et les intérêts propres de Kevin doivent être pris en considération et respectés. Ainsi comptent-ils établir les bases d'une relation de confiance avec Kevin qui pourra servir de lien pour l'aider à explorer les différentes possibilités qui s'offrent à lui de trouver une réponse à ses besoins spécifiques. Ils comprennent que l'aider à devenir plus actif dans ses démarches pour résoudre ses besoins sociaux, et de l'aider à se sentir respecté et entouré, le libérera et l'encouragera à s'investir davantage dans la vie scolaire et dans son apprentissage. L'équipe des professeurs examine alors un éventail de moyens pour approcher Kevin et gagner sa confiance. Elle fait le tour des diverses activités scolaires et des clubs proposés par l'école qui soient susceptibles d'intéresser Kevin. Un des collègues propose de fonder un club qui permettrait aux élèves de s'investir dans des activités rassurantes.

Ce serait un lieu où les élèves, encadrés par des enseignants voire même des adultes de l'extérieur, pourraient venir s'amuser, faire ce qui les intéresse en bénéficiant d'une aide qui leur permettrait d'acquérir et de développer des talents essentiels pour la vie en société. L'équipe trouve que c'est une bonne idée et que Kevin pourrait même participer à la création de ce club. Ce serait pour lui une bonne occasion de travailler à un projet extrascolaire avec l'équipe pédagogique qui l'encadre, et d'apprendre à faire confiance aux autres en élaborant un projet qui réponde à ses besoins comme à ceux de ses camarades. Amener Kevin et d'autres élèves à participer à la phase d'élaboration du projet est également considéré comme une stratégie d'ouverture et d'élargissement des possibilités : les élèves à risque pourront ainsi reconnaître qu'ils ont un certain contrôle sur la manière dont leur école répond à leurs besoins.

Bilan final

Cet ouvrage vous a proposé une étude sur la nature de la motivation d'apprendre et les façons de la développer chez les élèves démotivés. Les informations et les suggestions qui les accompagnent s'appuient sur les recherches et théories actuelles et partent du principe que la motivation d'apprendre est inhérente à tout individu, et qu'il convient davantage de la révéler que de l'instaurer. Dans leurs efforts pour susciter cette motivation naturelle d'apprendre chez les élèves, les enseignants ne devront jamais perdre de vue les points essentiels suivants :

- La motivation d'un individu repose sur l'idée qu'il se fait de sa propre valeur et de ses compétences.

- Un individu a des attentes de réussite ou d'échec et il conçoit des sentiments positifs ou négatifs à l'égard de l'apprentissage à partir des convictions qu'il a acquises au fil du temps.

- Des facteurs à la fois internes (ex : convictions, attentes et objectifs) et externes (ex : récompenses, soutien et appréciation des autres) jouent un rôle important dans la définition de la nature de la motivation et dans la manière d'accroître ses effets.

- Dès qu'ils accèdent à un niveau supérieur de réflexion, les apprenants deviennent capables de comprendre la relation qui existe entre leur système de pensée et leur tendance naturelle à s'automotiver.

- Les individus sont rarement conscients du rôle qu'ils jouent dans la construction de leurs pensées et de leurs réalités personnelles.

- La motivation intrinsèque d'apprendre fait partie d'un noyau d'équilibre mental naturellement présent en chacun de nous.

L'examen des implications d'une telle vision de la nature de la motivation sur le rôle de l'enseignant en tant que « stimulateur » nous a amenés à reconsidérer ce rôle. Dans la mesure où apprendre est désormais compris comme un processus actif donnant aux élèves la pleine responsabilité de leurs progrès et de leurs résultats, le rôle essentiel de l'enseignant est de faciliter le processus d'apprentissage plutôt que de présenter des contenus.

Nos recherches ont permis de mettre au point cinq stratégies importantes que les enseignants pourront utiliser pour aider les élèves à trouver en eux-mêmes la motivation qui leur fait défaut. Les enseignants devront :

1. Expliquer aux élèves les mécanismes de leur fonctionnement psychologique et leur montrer le contrôle actif qu'ils doivent

exercer dans la création et l'orientation de pensées qui influent sur leur motivation et leur apprentissage ;

2. aider les élèves à s'accorder de la valeur, ainsi qu'au processus d'apprentissage et aux activités spécifiques qui s'y rattachent ;

3. donner aux élèves des occasions d'exprimer leurs tendances naturelles à apprendre, progresser et assumer la responsabilité de leur apprentissage ;

4. encourager la prise de risques en classe, pour compenser les éventuelles conséquences négatives de l'expérience de la vie scolaire : ennui, peur de l'échec et désinvestissement ;

5. établir un climat positif de soutien personnel et social qui autorise chaque élève à se sentir apprécié et respecté.

Pour commencer à mettre ces rôles en pratique, nous avons expliqué quels étaient les concepts et principes de base liés à chacune des stratégies. Nous avons vu en détail comment (a) aider élèves et enseignants à comprendre puis contourner ou éliminer pensées et sentiments négatifs ; (b) aider les enseignants à connaître personnellement chacun de leurs élèves tout en aidant ceux-ci à définir leurs centres d'intérêt et leurs objectifs ; (c) aider les enseignants à structurer leur approche pédagogique de façon à encourager chez les élèves la formulation de choix et une prise en charge accrue de leur apprentissage ; (d) aider les élèves à développer les compétences nécessaires à la prise de risques en classe ; et, (e) aider les enseignants à comprendre les qualités personnelles dont ils doivent faire preuve pour établir un climat de confiance, de soutien et de sécurité affective, mais aussi pour évaluer eux-mêmes le climat de leur classe.

Nous avons poursuivi avec des suggestions de stratégies pédagogiques et d'activités utiles pour développer la motivation chez tous les élèves, et chez les élèves démotivés en particulier. Ces suggestions sont destinées à stimuler la créativité des enseignants dans leur travail d'élaboration de stratégies et d'activités particulières destinées à répondre aux besoins spécifiques d'élèves ou de classes. Nous espérons vous avoir durablement convaincus d'une chose :

pour réveiller véritablement la motivation naturelle d'apprendre chez chaque élève, les enseignants doivent leur garantir des rapports humains de qualité et un climat d'affection et de soutien mutuels.

Il est capital qu'ils préservent leur propre équilibre psychologique s'ils veulent que leurs élèves fonctionnent mieux psychologiquement. La compréhension des principes et stratégies présentés dans cet ouvrage pourra vous aider à mieux comprendre votre fonctionnement psychologique et votre motivation ; vous n'en comprendrez que mieux le fonctionnement de vos élèves.

En ces temps passionnants mais souvent frustrants où l'on appelle à une réforme scolaire en profondeur, au cœur de ces défis majeurs que constituent ces mutations dans la population et les besoins scolaires, il faudra du temps pour mettre en place les stratégies proposées dans ce livre. Commencez par essayer quelques petites choses auprès de quelques élèves. Observez les effets produits. Si ces stratégies fonctionnent bien et vous paraissent bénéfiques, vous trouverez le moyen de les employer de plus en plus. Vos réussites encourageront alors vos collègues à vous imiter.

Glossaire

■ **Autoactualisation** *(self-actualization)* : état ou niveau de fonctionnement psychologique où les individus opèrent avec un niveau de compréhension optimal de leur contrôle personnel et de leur capacité innée à préserver un bon équilibre mental (sagesse, insights, intuition, et créativité).

■ **Autonomie** *(autonomy)* : autorégulation ou exercice de la volonté, de l'expression personnelle, de l'initiative ou de l'autodétermination.

- **Cognition** *(cognition)* : capacités intellectuelles (pensée, traitement de l'information, mémoire et connaissances factuelles) ; par contraste avec affect (sentiments, émotions) et métacognition.

- **Compétence** *(skill)* : capacités cognitives et métacognitives acquises qui se développent avec l'entraînement et / ou la pratique.

- **Comportement** *(behavior)* : production d'actions résultant de convictions acquises par un individu et manière dont les pensées sont traitées en réponse à des situations externes ; réaction à des pensées et sentiments spécifiques dans une situation donnée.

- **Concept d'attribution interne** *(adaptive belief patterns)* : conviction qu'ont les individus qu'ils peuvent atteindre des objectifs d'apprentissage avec succès et que leur valeur personnelle n'est pas conditionnée par des facteurs externes (opinion des autres ou capacité à agir ou travailler en fonction des autres).

- **Conditionnement** *(conditioning)* : processus d'acquisition d'information qui fonctionne de manière quasi automatique ; réactions habituelles acquises par le biais de processus relativement inconscients.

- **Contrôle actif** *(agency)* : tendance inhérente du moi à générer du comportement ; capacité inhérente à l'autodétermination et au contrôle personnel des pensées, sentiments et comportement.

- **Dysfonctionnements** *(dysfunctions)* : schémas acquis de pensée, de sentiments et de comportement qui ne sont pas « sains » et qui s'opposent à un apprentissage et un développement personnel positifs ; schémas qui opèrent à l'insu d'un individu sans qu'il ait conscience des dangers encourus pour son équilibre psychologique.

- **Estime de soi** *(self-esteem)* : regard positif porté sur soi-même, sentiment, perception ou jugement ; capacité inhérente et inconditionnelle à s'accorder de la valeur et à se sentir en harmonie avec soi-même.

- **Externe** *(extrinsic)* : externe ou étranger à l'individu ; terme se rapportant aux facteurs externes qui influencent la motivation d'apprendre des individus.

- **Facilitation** *(facilitation)* : toute forme de guidance et de gestion de l'apprentissage des élèves qui n'engage pas l'enseignant comme responsable principal des résultats obtenus ; littéralement, rendre plus facile, comme faciliter la motivation d'apprendre chez les élèves.

- **Fonctionnement psychologique** *(psychological functioning)* : niveaux d'opération mentale qui reflètent la conscience qu'ont les individus des principes de la pensée, de la conscience et des capacités inhérentes au maintien d'un bon équilibre mental.

- **Inné** *(innate)* : capacité inhérente à l'individu, non apprise.

- **Interne** ou **intrinsèque** *(intrinsic)* : interne ou inhérent à l'individu ; se rapporte à la motivation naturelle d'apprendre propre à tous les individus.

- **Métacognition** *(metacognition)* : « pensée sur la pensée » ou connaissance relative à l'autoévaluation et l'autorégulation de sa propre pensée et de ses propres actions ; capacité qui conduit à la conscience du contrôle actif et personnel que l'on exerce sur ses pensées, ses sentiments et son comportement.

- **Modèle, modélisation** *(modeling)* : donner l'exemple ; offrir des démonstrations observables de qualités et de compétences personnelles dans le but de faire des émules.

- **Motivation externe** *(extrinsic motivation)* : raisons d'apprendre qui ne sont pas liées à l'accomplissement de la tâche elle-même ou à la satisfaction interne qui peut en découler, mais plutôt à des récompenses externes telles que les notes ou les bons points.

- **Motivation interne** *(intrinsic motivation)* : tendance à s'investir dans des activités pour elles-mêmes, pour le plaisir que leur accomplissement procure.

- **Pensée** (*thought)* : processus par lequel un individu construit et utilise ses convictions pour interpréter le vécu ; génère des sentiments et des comportements et est assujettie au contrôle et aux choix de l'individu.

- **Perception** *(perception)* : conscience des facteurs internes et externes qui affectent notre fonctionnement ou notre expérience ; peut être influencée par nos convictions et constituer un filtre pour traiter les informations et appréhender la réalité.

- **Réalités divergentes** *(separate realities)* : systèmes de convictions que les individus se construisent eux-mêmes et qui servent à personnaliser leur expérience de la vie ; ces convictions ou réalités sont propres à chaque individu en raison du cycle de la pensée et des filtres personnels qui leur ont donné naissance.

- **Révéler** *(elicit)* : faire émerger ; mettre en valeur des capacités naturelles qui se mettent en oeuvre spontanément ; par contraste avec *establish,* « instaurer », c'est-à-dire forcer la motivation des élèves.

■ **Sentiment** *(feeling)* : émotion résultant de pensées et de convictions spécifiques qui conduit à un comportement ou des réactions spécifiques.

■ **Soutien socio-psychologique** *(socio-emotional support)* : actions ou systèmes qui répondent à des besoins psychologiques et sociaux individuels (besoin d'être valorisé, considéré comme intéressant et signifiant, besoin d'être aimé ou respecté) ; on les trouve dans des contextes caractérisés par des relations de respect mutuel, d'affection ou de souci de l'autre.

■ **Volonté** *(will)* : état de motivation inné ou autoactualisé ; état de bien-être interne où les individus sont en harmonie avec leur estime naturelle d'eux-mêmes, leur sens commun et leur motivation interne d'apprendre.

Ouvrages en langue française

Crahay, M. (1996). *Peut-on lutter contre l'échec scolaire*, Bruxelles, De Boeck Université.

Dolle, J. M. et D. Bellano (1988). *Ces enfants qui n'apprennent pas. Diagnostic et remédiation*, Paris, Centurion.

Jonnaert, Ph. et Vander Borght C. (1999). *Créer des conditions d'apprentissage*, Bruxelles, De Boeck Université.

Lieury, A. et Fenouillet F. (1996). *Motivation et réussite scolaire*, Paris, Dunod.

Perrenoud, Ph. (1997). *Pédagogie différenciée : des intentions à l'action*, Paris, E.S.F.

Reboul, O. (1980). *Qu'est-ce qu'apprendre*, Paris, P.U.F.

Scallon, G. (2000). *L'évaluation formation*, Bruxelles, De Boeck Université.

Tardif, J. (1992). *Pour un enseignement stratégique : l'apport de la psychologie cognitive*, Montréal, Éd. Logiques.

Vallerand, R. J. et E. E. Thill (1993). *Introduction à la psychologie de la motivation*, Laval (Québec), Éd. Études Vivantes.

Viau, R. (1997). *La motivation en contexte scolaire*, Bruxelles, De Boeck Université.

Ouvrages de référence pour la traduction

De Landsheere, G. (1979). *Dictionnaire de l'évaluation et de la recherche en éducation*, Paris, P.U.F.

Legenare, R. (1993). *Dictionnaire actuel de l'éducation*, Guérin, Montréal, EsKa I, Paris, Le défi éducatif.

Les auteurs

Barbara L. McCombs dirige l'équipe qui s'intéresse à la « Motivation et (au) développement humain » au Mid-continent Regional Educational Laboratory d'Aurora dans le Colorado. Elle est docteur en psychologie de l'éducation. Elle a vingt ans d'expérience dans le domaine de la recherche et du développement d'interventions motivationnelles auprès des élèves, des enseignants et des parents. Elle s'intéresse plus particulièrement aux stratégies d'élargissement qui développent la motivation interne et les compétences d'apprentissage autorégulé chez les individus.

James E. Pope est professeur de sciences et de mathématiques au collège West Middle School d'Aurora. Il est diplômé en physique et possède une maîtrise en sciences de l'éducation. Il enseigne depuis plus d'une dizaine d'années et s'intéresse particulièrement aux applications de la technologie dans le développement de l'enseignement interdisciplinaire. Il consacre son talent à encourager la responsabilité personnelle et la motivation chez les élèves en grande difficulté.

TABLE DES MATIÈRES

OBJECTIF N° 3 51

AIDER LES ÉLÈVES À COMPRENDRE QUI ILS SONT ET À S'ACCORDER DE LA VALEUR

OBJECTIF N° 4 95

CRÉER UN CLIMAT MOTIVANT POUR LES ÉLÈVES